Varia / Feltrinelli

Massimo Recalcati
Mantieni il bacio

LEZIONI BREVI SULL'AMORE

Feltrinelli

© Giangiacomo Feltrinelli Editore Milano
Prima edizione in "Varia" marzo 2019
Seconda edizione aprile 2019

Stampa Grafica Veneta S.p.A. di Trebaseleghe - PD

ISBN 978-88-07-49248-8

FSC
www.fsc.org
MISTO
Carta
da fonti gestite in
maniera responsabile
FSC® C021883

www.feltrinellieditore.it
Libri in uscita, interviste, reading,
commenti e percorsi di lettura.
Aggiornamenti quotidiani

razzismobruttastoria.net

MANTIENI IL BACIO

A Roberto Benigni,
che conosce la poesia della durata

"L'altro che io amo e che mi affascina è *atopos*. Io non posso classificarlo, poiché egli è precisamente l'Unico, l'Immagine irrepetibile che corrisponde miracolosamente alla specialità del mio desiderio."

R. Barthes, *Frammenti di un discorso amoroso*

Introduzione

Il titolo di questo libro nasce da un mio breve sogno. Il giorno precedente Arianna, la mia insegnante di pilates che da tempo mi aiuta a tenere in sesto la mia povera schiena logorata da trent'anni di pratica della psicoanalisi, mi aveva sottoposto a un esercizio particolare: sdraiato a pancia in su, tenendo le ginocchia unite, dovevo ruotare alternativamente una delle gambe. Arianna mi invitava in questa postura scomoda e innaturale a "mantenere il bacio" tra le ginocchia che la rotazione della gamba tendeva invece a disfare. "Massimo," mi diceva seriamente, "mantieni il bacio."

Nel sogno questo residuo diurno, come lo avrebbe definito Freud, veniva elaborato in modo sorprendente. Da tempo avevo dato a questo libro un titolo che non mi convinceva pienamente. Il sogno elabora il residuo diurno della lezione di pilates insieme a questa insoddisfazione. Ero alla Fondazione Feltrinelli di Milano. Salivo con decisione le scale che portano al piano dove si trova la casa editrice. Non c'era nessuno. Solo il direttore editoriale che mi aspettava nel suo ufficio. Lo raggiungo per comunicargli il titolo del mio prossimo libro che sarà *Mantieni il bacio*. Lui reagisce con entusiasmo. Poi mi chiede: "Da dove viene?". Io gli rispondo: "Come tutto il resto". "Ovvero?" replica lui. "Dal mio inconscio," concludo.

Mi sveglio con una felicità infantile e con un nuovo titolo per il mio libro che adesso mi soddisfa pienamente...

Il bacio è forse l'immagine che, più di ogni altra, condensa la bellezza e la poesia dell'amore. Non a caso non c'è bacio nell'amore mercenario e anche nella sessualità pornografica è raro. Il bacio è il tempo di un'intimità che unisce in modo sorprendente il luogo della parola con quello del corpo. Se non c'è amore senza dichiarazione d'amore, non c'è amore senza bacio. Se non c'è amore senza che si dica, che tu dica o che io dica, "ti amo", non può mai esserci amore senza bacio.

Ogni amore è tenuto a mantenere il bacio. È solo il bacio a coniugare la lingua che dichiara l'amore con il corpo dell'amante. Non c'è bacio d'amore che non implichi infatti la lingua. Lo sappiamo: è la lingua che distingue un bacio d'amore da altri generi di baci. Si può baciare affettuosamente un figlio, un amico, un cane, un fratello, un padre o una madre. Ma solo la presenza della lingua nel bacio implica l'erotismo del desiderio.

L'amore coniuga questo erotismo – l'erotismo della lingua, del bacio "della" o "con la" lingua, che può anche essere solo sessuale o sensuale – alla dichiarazione d'amore, alle parole d'amore, alla loro dichiarazione: "ti amo". Ogni bacio d'amore dichiara, infatti, sempre e silenziosamente, "ti amo". È dal silenzio della lingua che scaturisce la dichiarazione d'amore del bacio. Sentire la lingua dell'amato è sentire il suo cuore; è dichiarare il mio amore, è far esistere l'amore, è come fare l'amore.

Mentre mantengo il bacio, tocco la tua lingua, la tua voce, la tua parola, il tuo nome. Mentre mantengo il bacio, trasformo il tuo corpo in una nuova lingua e in un nuovo alfabeto. Sento tutta la storia del tuo corpo depositata sul mistero unico della tua lingua. Sento tutta la vita che ho vissuto passare in questa nuova lingua che siamo diventati ora.

Mantengo allora il bacio; lo trattengo nella memoria e nel tempo. La tua lingua di rosa o di caramella, di pioggia o di neve, di mare o di vento. La tua lingua come una nuova frontiera del mondo. Mi allaccio e mi slaccio dalla memoria di tutti i tempi e di tutti i primi baci che ho vissuto. Scopro che il mio corpo è fatto per essere aperto, per ospitare una nuova lingua, per mescolare le nostre lingue. Scopro che il mio corpo è esposto all'evento nuovo della tua lingua impronunciabile.

È la gioia immensa dell'amore tra i Due quando accade. Sentire tutto il tuo corpo nella tua lingua. Apprendere a parlare in un altro modo. Apprendere una presenza nuova in me. Fare esperienza della lingua che, come il mondo, nasce un'altra volta.

Il bacio non unifica, non compenetra, non fonde gli amanti in un solo corpo. Nel bacio, i corpi restano sempre divisi, separati, distinti. L'intimità del bacio fa sprofondare l'Uno nell'Altro, ma i corpi restano Due.

15

Anzi, è solo perché i corpi restano Due che il bacio è possibile. Una discesa veloce di scale, di valico di montagna, di dirupo sul mare. Il cuore che precipita.

Come avvolto in un vento di primavera ti bacio, e riverso tutta la mia lingua, tutto il mio mondo, tutto il mio essere in te. Io sono tutto nella lingua che ti bacia e che ti parla. Sono in ogni punto della tua bocca, della tua voce, del tuo corpo, nelle parole sconosciute della tua lingua.

Mantengo il bacio nel buio della notte e nella luce del giorno. Lo mantengo nel tempo che passa. Lo mantengo nel furore acceso del mondo, nella sua ferocia. Gli amanti scavano il loro nascondiglio, la loro pace nella guerra, nell'infinito dolore dell'essere. Quando si baciano spengono il rumore del mondo, infrangono la sua legge, sequestrano il tempo dal suo movimento ordinario. Cadono insieme nelle loro lingue distinte e abbracciate.

Tengo con me, come un amuleto, il mio primo bacio di quando ero ragazzino. Quando la baciai per la prima volta, sapeva di menta. Si era stretta a me nella sala buia del cinema dell'oratorio. I nostri cuori in mezzo a noi, palpitanti. Avevo superato una soglia. Nessuna soglia mai più così dolce e misteriosa. La mia lingua era nella sua. Ancora posso vedere i suoi occhi socchiusi e il suo volto abbandonarsi sulle mie spalle. Incontravo una lingua di cui non sapevo nulla. Esisteva almeno un alfabeto? Un dizionario? Un codice?

Sebbene esistano baci protratti nel tempo, gare di baci, record, guinness dei baci, il bacio ha sempre una durata fugace rispetto alla storia d'amore dei Due. L'estinzione del bacio e, soprattutto, del desiderio di baciare l'amato o l'amata è sempre indicatore di una crisi e preannuncia la morte dell'amore.

Mantieni il bacio significa mantieni innanzitutto la promessa della lingua; la promessa di un segreto che non si può sciogliere; il carattere straniero e inappropriabile della lingua come lingua dell'Altro. Nell'esercizio che Arianna mi chiedeva di fare, una tensione che proveniva dalla contrazione degli addominali doveva evitare che le ginocchia si disgiungessero. Ci vuole, infatti, una certa tensione per "mantenere il bacio", mi spiegava. Questa tensione è la stessa che investe gli amanti: sapranno custodire il segreto delle loro lingue straniere? Sapranno stimare la loro acqua, il farsi e disfarsi continuo dei baci?

Quando ti bacio, lo sai, tu che non sei stata il primo bacio alla menta, tu che sei diventata la mia donna, la mia sposa, lo sai che fai di tutti i nostri baci dei primi baci. Quando ti bacio, ancora, lo sai, sento, ancora, il cuore nella lingua come nel primo bacio. Mantengo allora il nostro bacio stringendo forte le mie ginocchia; mantengo ancora il tuo cuore sulla mia lingua. E il mio cuore sulla tua lingua, ancora.

È davvero possibile tenere delle lezioni sull'amore? Evidentemente no. Non è mai possibile spiegare l'amore. Non è mai possibile ridurre l'amore a un concetto. È invece possibile e necessario parlare d'amore, continuare a parlare d'amore. A tal punto che si potrebbe persino dire che parlare d'amore sia la sola cosa davvero possibile in amore. Si parla così tanto d'amore perché nessuno sa cosa sia l'amore. Questo libro parla d'amore usando l'espediente di lezioni che tali non sono. Esso nasce infatti come una sorta di "copione" del ciclo di trasmissioni televisive andato in onda su Rai 3 con il titolo di *Lessico amoroso* (gennaio-marzo 2019). Un copione assai più esteso e ricco di riferimenti, pensieri e temi che l'imbuto fatale dei tempi televisivi non mi ha permesso di sviluppare.

Una serie di sette brevi "lezioni", quindi, che interroga il mistero e il miracolo dell'amore; dall'evento contingente dell'incontro sino a quello della sua fine o della sua durata, misteriosa e miracolosa come lo è l'evento di ogni primo incontro.

Milano, gennaio 2019

I miei ringraziamenti più vivi vanno al direttore di Rai 3 Stefano Coletta per aver creduto nel potere della parola e aver sfidato con un programma decisamente antitelevisivo gli stereotipi soffocanti della televisione commerciale, ridando forza al compito sociale e civile della televisione pubblica. A Gianluca Foglia, che da *Il complesso di Telemaco* in avanti è stato per me un interlocutore prezioso. E, infine, ad Arianna Bayre, che mi ha donato involontariamente le parole più giuste.

1.
La promessa

"L'amore domanda amore. Lo domanda... ancora."

J. Lacan, *Il seminario. Libro XX*

Brucia o dura?

Brucia o dura? Se brucia si consuma rapidamente e non può durare. Per durare non deve bruciare, ma deve abbassare, affievolire la sua fiamma. Ma cosa diventa un amore che non brucia più? Può esistere ancora un amore che non sia più un fuoco? Può meritare, quell'amore, di essere chiamato ancora "amore"? Ma perché durare sarebbe meglio di bruciare?, si chiede Roland Barthes.[1] La figura dell'innamorato sembra essere alternativa a quella del marito; quella dell'amante sensuale alternativa a quella della moglie e della madre. Il lessico famigliare è la morte del lessico amoroso? Da una parte c'è il fuoco dell'innamorato, dall'altra la presenza affettuosa del padre o del marito; da una parte l'erotismo dell'amante, dall'altra la

---

[1] R. Barthes, *Frammenti di un discorso amoroso*, tr. it. di R. Guidieri, Einaudi, Torino 1979, pp. 21-22.

cura attenta della moglie o della madre. Una parte brucia, l'altra dura. Non è forse questo uno dei paradossi più decisivi dell'amore? Lo vedremo in tutti i suoi risvolti nel corso di questo libro.

Possiamo provare a prendere le cose dall'inizio e chiederci semplicemente: come nasce un amore? Come accade? Come avviene che Due si incontrino e dichiarino di amarsi? Qual è il segreto dell'amore? Cosa lo accende, lo sospinge, lo tiene in moto? Cosa lo anima? Cosa vuole l'amore? Cosa significa dichiarare il proprio amore? Cosa diciamo quando dichiariamo: "ti amo"?[2] È tutto un inganno, un'illusione, una trappola come ritengono in molti? Una perdita di tempo, un dolore inutile o un fastidio da sopprimere per i più cinici? E poi: quanto dura un amore? Quanto può durare? Non vive di una contraddizione insanabile una dichiarazione d'amore che vorrebbe essere per sempre? Ogni amore non finisce forse necessariamente in merda? Non finisce prima o poi nell'odio? Non è questa la verità ultima sull'amore? Ogni amore non è forse destinato a conoscere la sua fine? Credere nell'amore tra Due è allora credere a una favola? Dichiarare il proprio amore "per sempre" denuncia immancabilmente l'immaturità psicologica di chi lo dichiara?

Novalis ci avvertiva che il mistero dell'amore non si può spiegare; che gli unici autorizzati a parlarne sono i poeti. Gli psicoanalisti, invece, sono spesso tra i

---

[2] Cfr., su questo, S. Regazzoni, *Ti amo. Filosofia come dichiarazione d'amore*, Utet, Milano 2017.

più decisi avversari dell'amore come promessa che esige di durare per sempre. Chi dichiara amore per sempre formula solo delle sciocchezze, dicono alcuni di loro.[3] Eppure in ogni epoca e a ogni latitudine la nascita di un amore sfida il tempo perché ogni amore degno di questo nome vorrebbe sempre essere "per sempre", vorrebbe rendere eterna la sua fiamma. Ogni volta che dico "ti amo" sottintendo – gli amanti sottintendono –, contro ogni evidenza razionale e contro la stessa esperienza più comune, che "sarà per sempre". La promessa dell'amore è, infatti, una promessa che non ha paura di evocare l'eternità: "Il nostro amore sarà per sempre".

Dire "ti amo"

Freud non credeva affatto al miracolo dell'amore. Riteneva che fosse il frutto illusorio di una passione narcisistica dell'Io per se stesso o, meglio, per il suo ideale narcisistico. Amare non significa altro che adorare la propria immagine ideale incarnata dall'amato. Quando dico "ti amo" sto dicendo che "amo me stesso attraverso di te", sto dicendo che "mi amo in te", che "amo me stesso", che "amo in te il mio Io". Il soggetto è più importante del verbo. L'amore per Freud è essenzialmente un fenomeno immaginario che appartiene alla sfera del narcisismo: si consuma tra i riflessi

---

[3] Cfr., per esempio, D. Leader, *Le promesse degli amanti*, tr. it. di S. Daniele, Feltrinelli, Milano 1998.

ingannevoli dello specchio; non si ama mai l'amato per quello che è, ma solo per quello che immaginiamo sia o, più precisamente, per l'ideale di me stesso che egli riflette. Amo di te il mio Io ideale, il modo in cui il tuo sguardo mi guarda e mi rende amabile. L'amore per Freud è sempre accompagnato da fantasmi narcisistici. È una passione ingannevole, effetto di un accecamento del soggetto innamorato che sovrastima l'oggetto della sua passione per esaltare se stesso; insomma, un miraggio. Ed è, diversamente da quel che si crede, più nella dimensione dell'avere che del dare, del ricevere che del donare, dell'appropriazione che dell'espropriazione, dell'accentramento che del decentramento da se stessi. Per questo ogni innamoramento – nutrito dal fantasma narcisistico – tende a svanire alla prima delusione, alla prima esperienza di non coincidenza tra l'amato per come è nella realtà e la sua rappresentazione ideale-narcisistica.

Davvero poi – insisterebbe ancora la voce critica di Freud – l'amore sarebbe un'esperienza del Nuovo? Di una vita nuova? Di una nuova esperienza del mondo? Illusioni, trappole, fumisterie da poeti. E se invece l'amore dei Due non fosse altro che la ripetizione di amori antichi, rimossi, lontani nella memoria? Se non fosse altro che una sorta di calco di un'impronta già scritta? Se non fosse altro che un gioco di maschere? Non è forse vero che dietro alla donna amata c'è sempre la sagoma inconscia della propria madre? E non è sempre la madre a essere, in fondo, anche per una donna, alle spalle dell'uomo? Quando non invece, in certi casi più rari, l'ideale intramontabile del padre dell'infanzia? Insomma, l'esperienza dell'inconscio insegnerebbe che l'amore non è mai amore del Nuovo, ma solo la replica di uno stesso amore – l'amore per la madre – che condanna a ripetere, in forme identiche, la delusione dello Stesso. Sull'amato calano così gli spettri del nostro passato, dei nostri fantasmi, delle prime esperienze della nostra sessualità infantile, delle nostre paure più arcaiche.

Freud avrebbe mostrato senza scampo che il cosiddetto Nuovo dell'amore non è altro che la riedizione del vecchio, di ciò che è già stato, di un amore che si è già consumato – con la madre, con il padre – e che impedisce che l'incontro d'amore sia davvero un nuovo incontro. L'amore sarebbe, piuttosto, una forma di *regressione psichica*: ritorniamo bambini che idealizzano l'Altro o lo rimproverano di non essere così ideale come ci avrebbe illuso di essere. Le schermaglie dell'amore ripetono le schermaglie dei nostri fantasmi infantili più remoti.

Il miracolo dell'incontro

Ma forse a Freud mancano le parole (o l'esperienza? Freud ha mai amato una donna?) per descrivere la forza generatrice che l'evento dell'incontro d'amore porta con sé. Perché, se lo osserviamo nel suo nascere, l'amore è innanzitutto provocato dall'*incanto dell'incontro*. L'amore si offre infatti non come una regressione o una ripetizione, ma come una sorpresa. Qualcosa di non previsto, non programmato, non atteso accade interrompendo la sequenza del già noto, del già stato, del già visto, del già conosciuto. Ogni incontro d'amore sospende lo scorrere naturale e ordinario del tempo; scava un buco, uno spazio vuoto, apre un varco, una discontinuità che non potevamo prevedere nello svolgimento abituale delle cose del mondo. L'incontro, in questo senso, sa sempre di avvenire, sa di ciò che non è mai ancora stato, sa di Nuovo. Ogni incontro d'amore porta con sé la promessa di una Vita nuova. Ogni amore è come una festa se la festa è il luogo dove l'ordinario è scardinato dall'esplosione di una gioia interdetta. "Il soggetto amoroso," scrive Roland Barthes, "vive ogni incontro con l'essere amato come una festa."[4] L'incontro d'amore somiglia sempre a un miracolo perché trasforma il prevedibile nell'imprevedibile, il possibile nell'impossibile, l'acqua in vino, il tempo routinario in una rivelazione.

Ma nonostante la sua promessa sia miracolosa, ogni incontro amoroso accade sempre per caso. In un supermercato, a una festa o attraverso un acquario come accade in *Romeo + Giulietta di William Shakespeare* (1996) di Baz Luhrmann, dove gli sguardi dei Due (DiCaprio e Claire Danes) si incontrano magicamente obliqui tra le acque trasparenti dell'acquario con i suoi pesci colorati e non possono smettere di inseguirsi come calamitati l'uno dall'altro. In primo piano solo un dettaglio del corpo: *lo sguardo*. Per Lacan l'oggetto che più di tutti corrisponde al movimento del desiderio. Ma un incontro è sempre fatto di dettagli, di frammenti, di pezzi di corpo: sguardi, profumi, suono della voce, colore dei capelli o degli occhi, abiti,

[4] R. Barthes, *Frammenti di un discorso amoroso*, cit., p. 96.

silhouette. *Non ci si innamora mai di anime, ma sempre e solo di corpi.* Con l'aggiunta che l'amore sorge solitamente proprio dal difetto singolare del corpo più che dalla sua perfezione ideale. Spesso infatti la perfezione del corpo ha l'effetto di anestetizzare l'amore, di rendere l'amato troppo distante, inarrivabile, mentre il difetto spalanca la mancanza da cui può sorgere l'amore, mobilita il desiderio che trova nell'imperfezione del corpo un dettaglio divino. Dio, come hanno giustamente detto Flaubert e Warburg, riposa nei dettagli. L'incanto dell'incontro implica sempre un mistero. Perché con lui, perché con lei? Cosa custodisce questa incognita, questa x, che ha acceso il mio desiderio? L'incontro sembra avvenire come già scritto, ma non è mai già scritto, non è mai, diversamente da quello che talvolta gli amanti credono, già avvenuto. *Appare come un destino ma è sempre figlio del caso.* Sembra previsto ma è sempre imprevisto. Per questa ragione nessuno psicoanalista può pretendere di possedere le chiavi per leggere l'enigma dell'incontro. Qualcosa resiste a ogni lettura, a ogni interpretazione.

L'incognita dell'incontro è fuori dal mondo, fuori dalle sue leggi, non si lascia decifrare. È nell'ordine, appunto, del miracoloso, dell'evento, dell'avvento. Inutile rievocare i fantasmi del passato, inutile convocare madri e padri, inutile anche classificare le qualità dell'amato. Anzi, quando ci esercitiamo in questa prova c'è sempre qualcosa, nella lista delle qualità che riconosciamo alla persona che amiamo, che ci lascia insoddisfatti. Questa lista non è mai completa, non è mai come vorremmo che fosse, non è mai in grado di spiegare l'incognita dell'amore. L'incontro d'amore, quando è tale, è una contingenza che esorbita sempre da tutto ciò che è già accaduto, da tutto ciò che è già stato. Proprio per questo l'incontro porta sempre con sé l'impatto con l'alterità, con l'oscurità dell'Altro.

L'"amuro"

Non si può decidere chi amare come non si può decidere se essere o meno folli. "Non diventa folle chi vuole," diceva Lacan. Non posso decidere "Io" chi amare. L'innamoramento – come la follia – non può essere un atto di volontà. L'amore e la follia sfuggono al potere della coscienza. La scelta dell'amato non viene dall'Io, ma dall'inconscio. Risponde a un amalgama di fili, di dettagli, di intrecci, di ragioni oscure di cui noi non siamo i padroni. Quando dico "ti amo", ricorda Lacan, dovrei aggiungere sempre "anche se non so bene perché". L'amore non è mai il frutto di un calcolo; non è amore di un insieme di qualità che definirebbero l'amato. Non è mai amore di qualcosa, ma di tutto. Di tutto ciò che io vedo e sento appartenere all'Altro. Quando si ama non si ama mai solo una parte dell'Altro; non può esistere un amore parziale. L'amore richiede amore per l'Altro in quanto tale; non per l'Altro che combacia con la rappresentazione idealizzata di noi stessi, non per lo specchio dell'Altro. L'incontro d'amore si realizza non come un rispecchiamento narcisistico, ma come una rottura dello specchio, come esperienza di un Altro che non mi somiglia, che diverge dal mio Io, di un Io che non sono Io.

L'incontro d'amore, direbbe Lacan, è sempre l'incontro con un *amur*, con qualcosa che resiste nella sua alterità, come un muro, un "amuro" appunto, qualcosa che non si può possedere, né valicare, né assimilare. Si ama sempre nell'Altro non il simile a noi ma l'amuro. È questa divergenza – la divergenza dell'amuro –, questo scarto, che può rendere l'amato davvero insostituibile, ovvero amato in tutti i suoi dettagli. Desiderato, voluto, amato non per qualcosa ma per *tutto*. In questo senso, come ricorda ancora Lacan, l'amore è sempre amore non di una qualità dell'amato, ma del suo nome proprio. È "amore del Nome", dove "Nome" sta per "tutto", per tutto ciò che l'Altro è nella sua alterità.[5] L'amore non è empatico, non è immedesimazione, non è unificazione ma è amore per l'alterità, non per il simile, ma per il dissimile, non per l'uguale ma per il differente. Proprio per questo ogni dichiarazione d'amore è rivolta a un'oscurità, a un mistero insondabile:

Non t'amo come se fossi rosa di sale, topazio
o freccia di garofani che propagano il fuoco:
t'amo come si amano certe cose oscure,
segretamente, entro l'ombra e l'anima.
T'amo come la pianta che non fiorisce e reca
dentro di sé, nascosta, la luce di quei fiori;
grazie al tuo amore vive oscuro nel mio corpo
il concentrato aroma che ascese dalla terra.
T'amo senza sapere come, né quando né da dove,
t'amo direttamente senza problemi né orgoglio:

---

[5] Cfr. J. Lacan, *Il seminario. Libro X (1962-1963)*, tr. it. di A. Succetti, Einaudi, Torino 2007, p. 369.

così ti amo perché non so amare altrimenti
che così, in questo modo in cui non sono e non sei,
così vicino che la tua mano sul mio petto è mia,
così vicino che si chiudono i tuoi occhi col mio sonno.[6]

La luce

L'incontro, abbiamo visto, è sempre nell'ordine del mistero. Gli amanti vorrebbero che fosse già tutto scritto, che questo incontro fosse destinato a una ripetizione infinita, a essere per sempre. La dichiarazione d'amore vorrebbe includere l'eterno. Come non esiste amore parziale di qualcosa, ma solo di "tutto", non esiste amore che non sfidi l'aleatorietà del tempo, non esiste amore che non voglia essere per sempre. Ogni amore vorrebbe non finire mai, durare infinitamente. Gli amanti vorrebbero che il loro incontro fosse un destino. Non una pura e semplice casualità, uno scherzo del caso, un imprevisto. No, gli amanti vorrebbero che il loro fosse un incontro già scritto da sempre. In questo senso l'incontro non è solo incontro con un'oscurità che ci rapisce ma è anche una straordinaria esperienza della luce:

Poi incontrai Linda, e il sole si levò. Non riesco a dirlo in altro modo. Si levò il sole nella mia vita. Prima soltanto come un leggero bagliore di luce all'orizzonte, quasi come a dire, è da questa parte che devi guardare. Poi giunsero i primi raggi, tutto si fece più evidente, più facile, più leggero, più vivo e

    [6] P. Neruda, *Non t'amo come se fossi rosa di sale*, in *Cento sonetti d'amore*, sonetto XVII, tr. it. di G. Bellini, Passigli, Firenze 1996.

divenni sempre più felice, infine il sole si trovò al centro del cielo della mia vita e ardeva, ardeva, ardeva.[7]

Una luce, dunque, riveste il mondo di un abito nuovo. Una luce che fa iniziare nuovamente il mondo. L'incontro d'amore modifica infatti il volto del mondo. Il mondo è lo stesso e, nel medesimo tempo, non è più lo stesso mondo di prima. L'esperienza dell'incontro fa nascere una seconda volta il mondo. Accade anche con la nascita di un figlio: l'amore per il figlio fa nascere, insieme al figlio, un'altra volta ancora il mondo. La scena dell'amore non è più quella dell'Uno ma quella del Due: è la bellezza straordinaria della condivisione del Mondo che accompagna l'incontro d'amore. Il mondo visto con gli occhi del Due non è più il mondo visto con gli occhi dell'Uno.

Essere attesi

Secondo Sartre la gioia dell'amore consiste nell'essere attesi: prima di questo incontro la nostra vita non aveva senso. Grazie all'incontro la nostra vita acquista senso, è "scelta", "eletta", "chiamata", "attesa", voluta sino nei suoi più infimi dettagli; amata per tutto quello che essa è. È questa la gioia dell'amore e la sua promessa: farmi sentire atteso, scelto, voluto nella mia particolarità più particolare.[8] Eppure l'incontro, nonostante l'illusione degli amanti, come abbiamo visto,

[7] K.O. Knausgård, *Un uomo innamorato*, tr. it. di M. Podestà Heir, Feltrinelli, Milano 2015, pp. 201-202.
[8] Cfr. J.-P. Sartre, *L'essere e il nulla. Saggio di ontologia fenomenologica*, tr. it. di G. Del Bo, il Saggiatore, Milano 1980, p. 455.

avviene sempre per caso. Non è possibile programmare gli incontri amorosi. Non esiste un'agenzia dell'incontro amoroso. L'incontro è sempre sorprendente, è sempre imprevisto, sfugge per principio al calcolo, alla programmazione. Ci sono luoghi dove è più facile che accada? Ci sono luoghi-incubatrice, luoghi ideali per l'incontro amoroso? Alcuni pensano ai supermercati, ai grandi magazzini, altri ai luoghi dove si viaggia o dove si socializza... Ma ci si può davvero "appostare" in attesa che passi la persona che attendevamo? Oppure, più verosimilmente, dovremmo ammettere che l'attesa dell'amore è sempre senza possibilità d'attesa? Io mi sento atteso, sento di essere stato atteso solo quando ho potuto incontrare chi mi ama. *L'incontro d'amore è tanto atteso – sempre atteso – quanto impossibile da attendere.* Non sappiamo né dove, né come, né quando attenderlo. Non sappiamo nemmeno se mai accadrà. L'incontro somiglia a quello che i matematici chiamano incognita: non si lascia decifrare, non si lascia manipolare, sfugge a ogni principio di determinazione. La sua gioia è però certa: l'incontro d'amore salva la mia vita dall'insensatezza, dal non senso, la riporta al senso, le attribuisce un senso, la fa sentire unica e insostituibile. In una parola: *attesa*.

Per sempre

Gli amanti sognano l'incontro e lo ritengono un segno del destino quando in realtà, come abbiamo visto, l'incontro è il frutto di un caso, di una pura contingenza. Non dovevo essere lì, non sarei dovuto passare di là: l'incontro è un'apparizione imprevista, è qualcosa che, quando avviene, fa saltare la regola condivisa dell'ordine canonico del mondo. L'evento dell'incontro è sempre nell'ordine straordinario del miracolo, di ciò che interrompe lo scorrere consueto del tempo del mondo. Eppure, ogni incontro avviene sempre per caso. È il frutto di una contingenza banale: se non fossi andato a quella festa, non ti avrei incontrata; se non avessi perso quel treno, non avrei potuto conoscerti. Tuttavia, lo sforzo o il sogno degli amanti è quello di trasformare questa casualità, questa pura contingenza, in un destino, in una necessità. Era già scritto! Da qualche parte, non so dove, pensa l'innamorato, questo incontro era già scritto! Era già stato scritto che ci saremmo incontrati. Il mito platonico dell'androgino avalla questa illusione: le due metà sono complementari; amare è ricomporre il tutto dell'origine, è ritrovare la propria metà. È l'illusione di essere e di fare un tutto, di costituire una totalità.

È un fatto: l'incontro d'amore spinge gli amanti a non accontentarsi della contingenza dell'incontro, li spinge verso la ripetizione dell'incontro. Li spinge verso la traduzione della contingenza in necessità, del caso in un destino,[9] li spinge, diciamolo nella forma più chiara, a volere che sia per sempre. L'amore non si accontenta dell'istante – non si accontenta di bruciare –, ma vuole durare. Per questo esistono i matrimoni e gli astrologi: per sancire, attraverso la Legge

[9] È questa la frase che Maria Schneider rivolge a Marlon Brando in *Utimo tango a Parigi* (1972) di Bernardo Bertolucci. Cfr. J. Lacan, *Il seminario. Libro XX (1972-1973)*, tr. it. di L. Longato, Einaudi, Torino 1983, p. 145 e A. Badiou, *Elogio dell'amore*, tr. it. di S. Puggioni, Neri Pozza, Vicenza 2013.

simbolica di un patto o attraverso i cieli, che sarà per sempre. L'incontro fa sorgere la promessa della condivisione delle proprie vite. È la bellezza struggente dell'amore che diviene solido, che sa durare. Per questo Ulisse nell'*Odissea* decide di ricavare il letto nuziale da un albero di olivo. Il tempo non sconfigge l'amore. È la prova a cui Penelope lo sottopone al suo ritorno per avere conferma della sua identità. Ella vuole essere certa che il suo uomo non ha dimenticato, ma è restato fedele alla sua promessa, vuole un segno della tenuta nel tempo del suo amore:

"Il suo morbido letto stendigli, Euríclea,
fuori dalla solida stanza, quello che fabbricò di sua mano;
qui stendetegli il morbido letto, e sopra gettate il trapunto,
e pelli di pecora e manti e drappi splendenti." [...]
"O donna, davvero è penosa questa parola che hai detto!
Chi l'ha spostato il mio letto? Sarebbe stato difficile
anche a un esperto, a meno che un dio venisse in persona,
e, facilmente, volendo, lo cambiasse di luogo.
Tra gli uomini, no, nessun vivente, neanche in pieno vigore,
senza fatica lo sposterebbe, perché c'è un grande segreto
nel letto ben fatto, che io fabbricai, e nessun altro.
C'era un tronco ricche fronde, d'olivo, dentro il cortile,
florido, rigoglioso; era grosso come colonna:
intorno a questo murai la stanza, finché la finii,
con fitte pietre, e di sopra la copersi per bene,
robuste porte ci misi, saldamente commesse.
E poi troncai la chioma dell'olivo fronzuto
e il fusto sul piede sgrossai, lo squadrai con il bronzo
bene e con arte, lo feci dritto a livella,
ne lavorai un sostegno e tutto lo trivellai con il trapano." [10]

[10] Omero, *Odissea*, XXIII, 177-198 (versione di R. Calzecchi Onesti, Einaudi, Torino 1989).

L'amore non è un letto che può essere disfatto o abbandonato, spostato o cambiato. Ulisse ricava il suo letto da un albero, lo rende talamo. Sceglie un olivo, che è un albero dalla crescita lenta e longevo, un albero che conosce il mistero della durata. Il suo letto è un'immagine della forza solida del suo amore, della sua fedeltà alla promessa. Per questo può rinunciare all'immortalità offertagli dalla dea Calipso per ritornare a casa, per ritrovare la propria donna. È la follia dell'amore quando c'è: *il letto degli amanti dovrebbe avere sempre la forma dell'albero.*

"Per sempre" è l'espressione che abita ogni discorso d'amore degno di questo nome. "Per sempre" è il tentativo che ogni amore compie per significare la propria pura e stupida casualità in una manifestazione dell'eterno. È il tentativo di tradurre infinitamente la contingenza dell'incontro nella necessità della promessa. L'amore accade per caso, ma la spinta degli amanti è di renderlo eterno. L'amore degno di questo nome esige di durare, esige la fedeltà alla promessa. Gli amanti non si possono accontentare dell'istante che trapassa fatalmente nel nulla. L'amore vuole durare, vuole l'eterno, vuole il "per sempre". Questa è la promessa degli amanti. L'incontro suscita la promessa: gli amanti che si sono incontrati per caso vogliono che il caso si riveli loro come un destino. Brucerà ancora? Durerà? Durerà senza più bruciare?

2.
Il desiderio

"Lei si divincola dolcemente. Poi la rigira e la esplora. È come una pioggia
d'amore. Ovunque si volga la sua mente, ne è sommerso. Come fossero in camere separate, impegnati in atti diversi,
si danno da fare fino all'ultimo istante e
poi crollano esausti, le coperte sparpagliate tutt'intorno."

J. Salter, *Un gioco e un passatempo*

Il fuoco del desiderio sessuale

La psicologia cosiddetta scientifica riduce il bacio a un'esplorazione dell'igiene del partner necessaria per la tutela della propria salute. Allo stesso modo riduce l'estasi amorosa a un effetto della dopamina su certe zone del cervello destinato a esaurirsi in un arco di tempo assai ristretto: tra i dieci e i diciotto mesi, dicono. In seguito si spalanca un bivio: accettare il decadimento della spinta erotica del desiderio oppure cambiare il proprio partner per rinnovare il doping cerebrale con nuove dosi di dopamina.

Se prendiamo le cose alla loro radice, l'esperienza del desiderio è quella di un fuoco che si accende. E non c'è amore che non sia accompagnato dal fuoco del desiderio sessuale. Il protagonista dell'*Animale morente* di Philip Roth non nutre alcun dubbio a questo proposito. Il desiderio sessuale è la sola verità del discorso amoroso. Non esiste alcun incanto dell'incontro che non sia riducibile al mero "interesse di natura sessuale":

Il sesso: ecco tutto l'incanto necessario. Le donne, per gli uomini, sono davvero tanto incantevoli, una volta tolto il sesso? C'è qualcuno che trova incantevole un'altra persona di questo o di quel sesso se non nutre per lei un interesse di natura sessuale?[11]

È questo un tema presente anche in un grande filosofo come Schopenhauer. Nella *Metafisica dell'amore sessuale* egli, come il protagonista dell'*Animale morente* di Roth, non ha alcuna incertezza nel subordinare l'amore alle necessità indifferibili dell'istinto sessuale. Anzi, nella sua riflessione riduce cinicamente l'amore a una vera e propria "illusione dell'istinto" piegata inconsciamente alle necessità universali della riproduzione della specie. In altre parole, l'amore sarebbe solo l'alibi morale del carattere impetuoso e sovraindividuale della volontà di vita e della meccanica sessuale che la manifesta.[12]

Sarebbe certo brutalmente schematico ridurre la corrente erotica del desiderio alla manifestazione della sessualità come pura volontà di vita. L'istinto sessuale non conosce infatti l'erotismo, mirando unicamente alla riproduzione della specie. Per questa ragione Freud, per definire la dimensione sessuale della vita umana,

---

[11] P. Roth, *L'animale morente*, tr. it. di V. Mantovani, Einaudi, Torino 2002, p. 13.
[12] "Ogni innamoramento, per quanto etereo voglia anche apparire, è radicato soltanto nell'istinto sessuale, anzi è in tutto e per tutto soltanto un impulso sessuale determinato e specializzato in modo prossimo, e individualizzato nel senso più rigoroso": cfr. A. Schopenhauer, *Supplementi al "Mondo come volontà e rappresentazione"*, tr. it. di G. De Lorenzo, Laterza, Roma-Bari 1986, pp. 550-551.

non usava il termine istinto, ma quello di pulsione. Nel mondo animale dominato dall'istinto non c'è alcuna esperienza dell'erotismo. Nondimeno l'erotismo non coincide affatto con l'amore. L'erotismo è una componente del desiderio umano, ma spesso è proprio il legame d'amore – dell'amore che dura ma non brucia più – a spegnerne lo slancio.

Il desiderio sessuale non è mai del tutto piegato alla legge della riproduzione sessuale. Piuttosto questo desiderio appare sempre deviante ed eccentrico nei confronti di qualunque riduzione della sessualità allo schema naturale dell'istinto. Mentre l'istinto, che definisce l'orientamento sessuale nel mondo animale, si eredita filogeneticamente e coincide con i processi vitali dell'organismo, la pulsione è un'attività che ha come fondamento il pervertimento dell'istinto naturale. È una tra le più grandi conquiste teoriche di Freud: la pulsione sessuale opera libera dalla pressione istintuale della riproduzione della specie. Non punta a subordinare la sessualità alla finalità dell'istinto, ma ne mostra tutta la devianza e l'eccedenza lussuriosa. Il fine che orienta la pulsione sessuale non è la riproduzione della specie, ma il godimento perverso-polimorfo del proprio corpo. È questa la matrice dell'erotismo che non trova, non a caso, diritto di cittadinanza nel mondo animale. Esso definisce la dimensione del desiderio sessuale nella vita umana. È come un vento di primavera, una pioggia d'estate, una forza vitale anarchica, non governata dalla bussola dell'istinto. Porta con sé una lussuria che non conosce leggi. In questo senso Lacan parla di un montaggio pulsionale e lo assimila ai collage surrealisti a sottolineare l'estraneità della pulsione sessuale alla linearità schematica dell'istinto. È questo il lato poetico e struggente del corpo umano in quanto corpo sessuale ed erotico:

Giacciono immobili, respirando piano, le teste appoggiate sul lungo rullo ancora chiuso nella fodera a fiori. Le imposte sono chiuse. È mezzogiorno. C'è un lieve acciottolio di piatti e, oltre questo, un silenzio rituale. Una radio, forse. Di quando in quando una macchina. Dormono. Si svegliano in un mondo diverso. Gli occhi di Dean vagano per la stanza, alla fine si posano sull'orologio. È passata un'ora. Si rizza a sedere e inizia silenziosamente a spogliarsi, cominciando dalle scarpe, poi le calze. Il pavimento è fresco e gradevole sotto i piedi. Posano nudi davanti allo specchio. Dean è più alto. Il suo corpo è scuro. È scostato di lato, come la sua ombra. La luce entra in piccole strisce piatte, lamelle, che attraversano il pavimento. Le infila il cazzo tra le gambe da dietro, e lei gli dà una piccola stretta. Allunga la mano dietro la schiena per accarezzargli le palle con la punta delle dita. Lui sembra un bagnino. C'è un rotolo di grasso, una balaustra di marmo, sui suoi fianchi. Fanno l'amore lentamente. Lui la sistema di traverso sui fiori scuri e glielo mette dentro come se stesse incuneando un ceppo. Poi la fa sedere a cavalcioni sopra di lui. La sua voce è invisibile, un sussurro dalla strada. "Sembra che mi tocchi il cuore," gli dice. Si solleva leggermente, le mani sulla sua vita. "Sì, proprio il cuore," dice. Dean sorride. La fa abbassare un pochino. Lei si divincola dolcemente. Poi la rigira e la esplora. È come una pioggia d'amore. Ovunque si volga la sua mente, ne è sommerso. Come fossero in camere separate, impegnati in atti diversi, si danno da fare fino all'ultimo istante e poi crollano esausti, le coperte sparpagliate tutt'intorno. Le loro voci sono basse, incoerenti. Fuori della finestra, i piccioni barcollano sulle tegole.[13]

[13] J. Salter, *Un gioco e un passatempo*, tr. it. di D. Vezzoli, Guanda, Milano 2015, pp. 237-238.

Desiderio e amore

Il "duro desiderio di durare" dell'amore, per usare un'espressione di Paul Éluard, la fedeltà alla promessa suscitata dall'incontro amoroso, non si scontra forse con la necessità del desiderio sessuale di rinnovare costantemente il suo oggetto? Di "bruciare" e, dunque, di escludere il "durare"? È una tesi di Freud: il destino del desiderio nella vita amorosa è quello di scindersi tra la tenerezza rivolta verso la propria compagna e il desiderio sessuale rivolto verso nuove amanti. Esiste un rapporto inversamente proporzionale tra l'intensità del desiderio e la durata del rapporto. Se l'amore vorrebbe durare, il desiderio, al contrario, vorrebbe cambiare partner per continuare a desiderare. Ma non diventa allora impossibile saldare e non opporre il desiderio e l'amore? Da dove viene l'impossibilità di questa saldatura? Il risultato dell'inquietudine strutturale del desiderio sarebbe necessariamente la rassegnazione o l'infedeltà? Il cervello, come spiegano le neuroscienze, avrebbe bisogno di rinnovare continuamente le fonti eccitatorie del desiderio. Woody Allen ha messo in scena la dimensione macchinica del desiderio in modo irresistibile in *Tutto quello che avreste voluto sapere sul sesso ma non avete mai osato chiedere* (1972): la sessualità si riduce a un movimento di pistoni, leve, carrucole azionati dai centri nervosi presieduti dai comandi cerebrali.

Nondimeno la meccanica sessuale del desiderio non obbedisce alle leggi della natura. È una meccanica surrealista e non realista. Per questo il desiderio sessuale non è mai animale. È la sua natura perversa,

43

snaturata. Per gli esseri umani non esiste alcuna norma sessuale. È questa la lussuria ordinaria che accompagna la vita sessuale dell'uomo, sempre eccentrica rispetto a qualunque forma di regolazione istintuale. Si tratta di una sessualità totalmente sganciata dalle finalità riproduttive dell'istinto. Gli esseri umani sono tali in quanto sono sempre difformi dalle leggi della natura.

Erotismo e feticismo

Il feticismo è l'esempio più eclatante del carattere snaturato della pulsione sessuale. Quando dico "ti desidero" cosa dico? Desidero i tuoi seni o le tue scarpe, le tue mutande o le tue gambe? Non esiste desiderio umano libero dalla passione feticistica, soprattutto per la sessualità maschile. Il desiderio feticistico in quanto tale è sordo all'amore. Non conta il soggetto nella sua particolarità insostituibile, il suo Nome, ma la presenza sessualmente irresistibile di un oggetto (il feticcio) che può anche essere localizzato in una parte del corpo dell'amata. Non conta il soggetto ma, come dichiarava un mio paziente permanentemente occupato nella sua attività seduttiva, il "pezzo". Si delinea allora un'opposizione netta tra l'amore – che ama "tutto" dell'Altro, ovvero, come abbiamo visto, il suo Nome proprio – e la passione feticistica dell'oggetto come passione per una parte del corpo dell'Altro. Mentre l'amore si soddisfa nel segno d'amore, nelle parole d'amore, nell'amore per il Nome, il desiderio si soddisfa nel piede o nella scarpa, ovvero nei dettagli del corpo:

Contemplo ammaliato la ragazza che si tormenta una ciocca di capelli mentre fa mostra di studiare il suo libro di storia – mentre io faccio mostra di studiare il mio. Un'altra ragazza, che il giorno prima nel suo banco a lezione avevo trovato del tutto ordinaria, dondola una gamba sotto il tavolo della biblioteca mentre sfoglia pigramente un numero di "Look", e il mio ardore non conosce limiti. Una terza ragazza si china sul quaderno, e con un gemito soffocato, come se mi stessero impalando, osservo il seno sotto la camicetta dolcemente premuto fra le braccia incrociate. Come vorrei essere quelle braccia! Sì, basta davvero poco per lanciarmi alla conquista di una perfetta sconosciuta, mi basta notare che, mentre con la mano destra prende appunti dall'enciclopedia, non riesce a impedire che l'indice della mano sinistra accarezzi il contorno delle labbra. [...] "Ti prego," mi supplicano, "perché non ti limiti a parlare e a essere carino? Sai essere così carino, quando vuoi." "Sì, me lo dicono tutte." "Non capisci che questo è solo il mio corpo. Non voglio relazionarmi con te a questo livello." "Mi spiace per te, ma non ci puoi fare niente. Hai un corpo sensazionale." "Oh, non ricominciare con questa storia." "Hai un culo sensazionale." "Per favore non essere volgare. A lezione non parli così. Mi piace tanto ascoltarti, ma non quando mi insulti in questo modo." "Ti insulto? Ti sto facendo un gran complimento. Hai un culo meraviglioso. Perfetto. Dovresti esserne entusiasta." "Serve solo per sedercisi su, David." "Col cavolo. Chiedi a una ragazza che ce l'ha tutto diverso se le piacerebbe fare cambio. Forse allora aprirai gli occhi." "Per favore, smettila di prendermi in giro e di usare questo tono sarcastico. *Per favore.*" "Non ti sto prendendo in giro. Ti sto prendendo sul serio come nessuno ti ha mai presa sul serio in vita tua. Hai un culo che è un capolavoro."[14]

[14] P. Roth, *Il professore di desiderio*, tr. it. di N. Gobetti, Einaudi, Torino 2009, pp. 20-21.

In questo brano di Philip Roth si delinea la differenza tra un modo di amare di tipo femminile e un modo di amare di tipo maschile. Quello femminile si rivolge alla parola, al segno dell'amore, allo scambio, alla relazione. Quello maschile si rivela invece nella sua pura idiozia feticistica frantumando l'essere dell'Altro in pezzi, in frammenti staccati: le labbra, le gambe, il culo. Appare qui un'antinomia insuperabile che sembra minare la stabilità di ogni relazione amorosa: *l'inconciliabilità tra l'amore e la natura feticistica del desiderio sessuale.* Se l'amore si soddisfa nel segno d'amore, nelle parole d'amore, nella promessa d'amore, nel "per sempre" della promessa, se amare significa desiderare tutto dell'Altro, renderlo insostituibile, il desiderio sessuale che si soddisfa nel piede o nella scarpa o, più precisamente, in un "pezzo" del corpo dell'Altro appare strutturalmente infedele. Se la relazione amorosa è tra soggetto e soggetto, quella feticistica è tra un soggetto e un oggetto. E l'oggetto, in questo caso, è suscettibile di una permutazione seriale.

La relazione amorosa si trova così messa in scacco dall'idiozia permanente del feticismo del desiderio maschile che sembra non riuscire mai a fare a meno del "pezzo". Ma se l'idiozia maschile consiste nel rendere assoluto un dettaglio del corpo dell'amata, se il desiderio sessuale sospinge a feticizzare il corpo, a ridurlo al "pezzo", l'idiozia femminile si sfinisce invece nell'iterazione della stessa domanda: "Mi ami? Mi ami?". E nessuna risposta sembra mai in grado di soddisfare il carattere perpetuo di questa domanda.

La domanda d'amore non esige la presenza del "pezzo", ma di essere ciò che provoca la mancanza nell'Altro. Sentirsi amati significa infatti sentirsi essere la mancanza dell'Altro, poter essere ciò che manca all'Altro. La serialità feticistica del pezzo si trova così replicata, sul lato femminile, dal carattere infinito della domanda d'amore. Lacan una volta ha descritto questa eterogeneità tra la domanda d'amore che si nutre del segno del desiderio dell'Altro e il desiderio sessuale che si nutre della presenza dell'oggetto feticistico attraverso il paradosso filosofico di Achille e la tartaruga formulato dall'eleatico Zenone: i due – Achille e la tartaruga – sono destinati a non incontrarsi mai, a sfuggirsi sempre. L'uomo cerca l'oggetto, il pezzo; la donna la parola, il segno dell'amore. L'amore visto dal lato del desiderio sessuale è, dunque, un non-incontro, un'illusione destinata a finire. Per questo Lacan può affermare che "il rapporto sessuale non esiste". Ma come? Certo che il rapporto sessuale esiste! Anzi, forse dovremmo dire, come si sforza di dimostrare il protagonista dell'*Animale morente* di Roth, che esiste *solo* il rapporto sessuale. E tuttavia, per quanti rapporti sessuali egli potrà avere, nessuno di questi renderà possibile l'essere e il fare Uno con l'Altro, l'incontro fra la tartaruga e Achille sarà ogni volta mancato; uno cerca il pezzo e trova il soggetto, l'altra cerca il soggetto e non trova che un oggetto.

E allora? Il povero Achille e la povera tartaruga sono destinati a rincorrersi infinitamente senza mai incontrarsi? Il desiderio sessuale in quanto tale non può generare l'amore. Piuttosto è l'amore – riconoscere l'insostituibilità dell'amato – che, quando si unisce e non si divide dal desiderio, può rendere possibile l'incontro tra i Due.

Quando un corpo diventa un libro

L'erotizzazione del partner resa possibile dall'amore non è solo l'erotizzazione di una parte del suo corpo, ma è erotizzazione dell'essere stesso dell'Altro, di tutta la sua esistenza. Non a caso l'amante ama interessarsi a tutta la vita dell'amato, alla sua provenienza, alle sue origini, ai suoi ricordi, alla sua infanzia, alla sua vita amorosa e sessuale precedente, alle sue inclinazioni, preferenze, disposizioni d'animo. Allora l'incontro sessuale in sé non è un lampo che si esaurisce nel corso di una notte, ma un segreto che unisce gli amanti. Una pausa che i Due si concedono dalle leggi del mondo o, se si preferisce, dalle ferite della vita:

> Il desiderio sessuale, quando è reciproco, [...] è una cospirazione a due. Il piano è offrire all'altro una tregua dal dolore del mondo. Non la felicità, ma una tregua fisica dall'enorme debito del corpo nei confronti del dolore. [...] La cospirazione consiste nel creare insieme uno spazio, un *locus*, di esenzione, e l'esenzione, di necessità temporanea, è dalla ferita irriducibile che la carne ha ereditato. Questo *locus* è l'interno del corpo dell'altro. La cospirazione consiste nel perdersi dentro di esso, dove ciascuno diventerà introvabile. Il desiderio è uno scambio di nascondigli. (Ridurlo al "desiderio di fare ritorno all'utero" è una banalizzazione.)[15]

Nessuna regressione, dunque, nessun ritorno all'utero. L'esperienza del desiderio sessuale nell'amore è

[15] J. Berger, M. Trivier, *My Beautiful*, tr. it. di M. Nadotti, Bruno Mondadori, Milano 2008, p. 38.

l'esperienza di una "tregua dal dolore del mondo". È un tempo di bellezza che può sempre sospendere il tempo del mondo. Questo significa che il corpo dell'amato può divenire un libro, acquista le caratteristiche di un testo la cui lettura è avvertita come decisiva, necessaria, desiderata. Significa che il Nome stesso può avere la dignità di un corpo. Noi amiamo il corpo e la vita dell'Altro come se avesse la stessa dignità di un libro. Frugo nel corpo dell'Altro come fossero le pagine di un libro che amo. Quando è l'amore a orientare il desiderio erotico, la vita dell'Altro diviene un libro; vorremmo attardarci nel leggerlo, dedicarvi tempo, sperimentare la pazienza e la bellezza della lettura. Se il corpo diviene un libro non c'è esercizio della violenza, non c'è sopraffazione, non c'è predazione, non c'è solo la ricerca del "pezzo". La lettura del libro è il contrario di un'appropriazione rapace, di una frammentazione del corpo. Si può pensare che questa sia la sola forma possibile che può assumere una vera educazione sessuale: educare il soggetto a trattare il corpo dell'amato come se fosse un libro e non come un oggetto qualsiasi da consumare. Il libro, ogni libro, infatti, si distingue da un oggetto del mondo, perché è esso stesso un mondo.

3.
I figli

"Il figlio è figlio unico. Non secondo il numero. Ogni figlio del padre è figlio unico, figlio eletto."

E. Lévinas, *Totalità e infinito*

Un figlio viene al mondo

La venuta al mondo di un figlio cambia per sempre il volto del mondo. Un figlio per l'ordine universale del mondo non è nulla, è come un filo d'erba in un prato, un fiore che appare su un muro di pietra, ma è un filo d'erba o un fiore che cambia per sempre, per i suoi genitori, il volto del mondo. La nascita di un figlio scandisce, come l'incontro d'amore tra i Due, una seconda nascita del mondo. Con la nascita di un figlio facciamo esperienza della riapertura dell'apertura sempre aperta del mondo.

La gioia che accompagna la nascita di un figlio moltiplica l'amore tra i Due, lo dischiude verso un nuovo orizzonte. Un figlio è sempre generato dal Due e non dall'Uno. In questo senso ogni figlio dovrebbe poter essere una metafora dell'amore dei Due. Il che significa che un figlio porta con sé la storia di cui è figlio, innanzitutto il desiderio dei suoi genitori e l'amore che li ha uniti. Il figlio è figlio non del seme o dell'utero, ma del desiderio di chi lo ha messo al mondo. Respira l'amore (o il rifiuto) di chi lo ha (o non lo ha) voluto al mondo. Questa è la sua prima eredità: essere o non essere stato desiderato dal desiderio dei suoi genitori. Non che questo stabilisca un destino. Il figlio, ogni figlio, ha sempre la possibilità di modificare il destino che ha ricevuto dai suoi genitori, porta con sé, sempre, la possibilità di riscrivere in modo nuovo quello che gli Altri hanno scritto di lui.

Il modo in cui i genitori guardano il mondo è il patrimonio più fondamentale che lasciano al figlio. Lo sguardo sul mondo è il primo dono che facciamo al figlio che viene al mondo. Egli, infatti, guarderà il mondo attraverso il nostro sguardo:

Bambina mia.
Per te avrei dato tutti i giardini
del mio regno, se fossi stata regina,
fino all'ultima rosa, fino all'ultima piuma.
Tutto il regno per te.

Ti lascio invece baracche e spine,
polveri pesanti su tutto lo scenario
battiti molto forti
palpebre cucite tutto intorno. Ira
nelle periferie della specie
e al centro. Ira.

Ma tu non credere a chi dipinge l'umano
come una bestia zoppa e questo mondo
come una palla alla fine.
Non credere a chi tinge tutto di buio pesto e
di sangue. Lo fa perché è facile farlo.

Noi siamo solo confusi, credi.
Ma sentiamo. Sentiamo ancora.

Siamo ancora capaci di amare qualcosa.
Ancora proviamo pietà.

Tocca a te, ora,
a te tocca la lavatura di queste croste
delle cortecce vive.
C'è splendore in ogni cosa. Io l'ho visto.
Io ora lo vedo di più.
C'è splendore. Non avere paura.

Ciao faccia bella,
gioia più grande.
L'amore è il tuo destino.
Sempre. Nient'altro.
Nient'altro. Nient'altro.[16]

L'esistenza innocente del figlio non ci chiede di trasmettergli beni, averi, rendite. Non servono, scrive Mariangela Gualtieri, "giardini del mio regno". Bastano anche "baracche e spine" e "polveri pesanti" o "ira". Quello che occorre trasmettere al figlio è il sentimento stesso della vita, è il sentimento dello "splendore" del mondo. Se, infatti, lo sguardo di un genitore è vuoto, sarà assai più difficile per un figlio vedere lo splendore del mondo. Il sentimento della vita che tutela lo splendore del mondo può trasmettersi solo nella forma della testimonianza che i genitori possono dare di *sentire ancora* quel sentimento, di amare qualcosa, di "provare pietà". Questo serve più di ogni altra cosa alla vita del figlio. Sapere che esiste lo "splendo-

[16] M. Gualtieri, *Canto di ferro*, in *Paesaggio con fratello rotto*, Luca Sossella Editore, Roma 2007.

re" del mondo *in ogni cosa*. Basta solo questo, sussurra la poetessa, "nient'altro".

Più di Uno

Nel figlio non dobbiamo vedere solo il prolungamento narcisistico del nostro Io o delle nostre aspettative fantasmatiche di genitori, ma la pluralità del mondo, la sua bellezza inesauribile. È vero, Freud ci ha spiegato che la nascita di un figlio coincide sempre con il rinascere del narcisismo dei genitori. Il bambino è identificato con il fallo immaginario della coppia; su di lui gravano le aspettative, i progetti, i fantasmi dei suoi genitori. Per questo il dono più grande di un padre e di una madre è quello di abbandonare il figlio, di lasciare che si incammini per la sua via. È la natura particolare del legame famigliare: esso deve saper custodire la vita del figlio, proteggerla, curarla, amarla, ma la finalità ultima di questo legame è il suo scioglimento per consentire al figlio di separarsi e di avere un proprio desiderio. Sarebbe, come ha detto una volta Deleuze, un vero incubo quello di trovarsi a realizzare il sogno di un altro.

La famiglia è stata uno dei bersagli privilegiati del pensiero critico nato dal Sessantotto. L'accusa è quella di essere un istituto disciplinare, repressivo, oppure un teatrino borghese che nasconde le violenze e le menzogne più immorali. Il luogo di una recinzione austera della vita, di un suo addomesticamento normativo. Anche grandi autori ne hanno parlato: basta rivedere *Scene da un matrimonio* (1973) di Bergman o

Festen – Festa in famiglia (1998) di Lars von Trier, oppure leggere *Pastorale americana* di Roth. La letteratura e il cinema hanno sempre dedicato molta attenzione alla dissezione del legame famigliare mostrandone le aberrazioni più o meno recondite. Lo stesso accade per quei critici irriducibili del supposto familismo della psicoanalisi. Si pensi all'*Anti-Edipo* di Deleuze e Guattari e alla loro critica radicale alla concezione edipica della famiglia o all'antipsichiatria di Laing e di Cooper, dove la famiglia borghese viene di fatto individuata come causa della follia stessa.

Questo pensiero lugubre della famiglia non può affatto pretendere di esaurire il quadro della vita famigliare, perché non è in grado di contemplare la bellezza per il molteplice che la famiglia, a volte, può rendere straordinariamente possibile. La famiglia non è solo il luogo di un disciplinamento comportamentale della vita, non è solo il luogo del rinato narcisismo dei genitori, non è solo un teatrino di conflitti e rivendicazioni. È anche il luogo dove il Due fa esperienza della bellezza vitale del multiplo, del collettivo, del "più di Uno". È l'entusiasmo che a volte può caratterizzare la vita famigliare: l'amore di Due che ha generato una nuova molteplicità. Il figlio frantuma senza ritorno – come ha scritto Lévinas[17] – la compattezza chiusa dell'Uno, costringe alla pluralità, all'impatto con il "più di Uno" in modo assai più convincente di qualunque teorizzazione filosofica.

---

[17] Cfr. E. Lévinas, *Totalità e infinito. Saggio sull'esteriorità*, tr. it. di A. Dell'Asta, Jaca Book, Milano 1982, p. 288.

In questo senso il figlio è un nome radicale dell'inconscio: non sono più padrone in casa mia. La sua vita mi impone una responsabilità illimitata, senza termine, inesauribile. Impone al Due un altro tempo, un altro mondo, un'altra vita. In questo senso la nascita di un figlio implica sempre un decentramento nella vita dei suoi genitori; offre allo scorrere del tempo una profondità differente, rafforza un avvenire che trascende la vita dei Due; il tempo non coincide più con il nostro tempo, la vita non coincide più con la vita dei Due. La nascita del figlio è il luogo di un fulgore – il fulgore della bellezza del figlio –, ma è anche l'annuncio inevitabile della morte di chi lo ha generato: la sua venuta al mondo porta con sé la mia, la nostra fine.[18]

Sacrificarsi per i figli

Nel tempo del patriarcato la nascita del figlio sigillava in modo irreversibile la vita di una coppia. La vita del figlio costituiva la ragione fondamentale per preservare nel tempo l'unione coniugale, anche se l'amore tra i Due era esaurito e senza alcuna possibilità di rinnovamento. Il figlio diveniva spesso la ragione ultima della vita della coppia che, senza la sua presenza, si sarebbe molto probabilmente separata. Soprattutto prima della legge che in Italia ha sancito il diritto al divorzio, molte coppie restavano sotto lo stesso

---

[18] Cfr. M. Recalcati, *Il segreto del figlio. Da Edipo al figlio ritrovato*, Feltrinelli, Milano 2017.

tetto solo per garantire al figlio la cura dei suoi genitori e per proteggerlo da un eventuale trauma legato alla loro separazione. I risultati di una scelta simile erano e sono, almeno ai miei occhi, ancora assai dubbi. Se il figlio diventa la sola ragione dell'unione di una coppia infelice, egli, anziché essere il simbolo di una nuova nascita del mondo, rischia di diventare una sorta di piccolo idolo al quale uno dei Due o entrambi decidono di sacrificare la propria felicità. Non è una buona posizione, né per lui né per i suoi genitori. La famiglia si trasforma in una trappola asfissiante dove ciascuno rende impossibile la libertà dell'Altro.

Prima della rivoluzione culturale del '68, erano in particolare le donne che dovevano rinunciare al loro desiderio e alla loro libertà per assicurare cura e protezione ai figli anche quando l'amore per il proprio partner era svanito da tempo. La legge che ha legittimato il diritto al divorzio non è – come alcuni hanno invece voluto sostenere o ancora sostengono – una legge contro la famiglia, ma una legge che ha tutelato *il desiderio contro il sacrificio*, che ha tenuto conto di quanto sia importante – soprattutto difendendo gli interessi dei figli – che in una famiglia circoli amore e rispetto e non odio o risentimento reciproco.

Se la vita della famiglia è il frutto di un'obbligazione morale o legale viene meno il senso stesso della sua esistenza, che è quello di trasmettere al figlio il sentimento della vita a partire dalla positiva testimonianza concreta nella vita insieme. Il dramma è quando – come spesso accade – i figli diventano il campo di battaglia delle rivendicazioni e dei conflitti che attraversano la vita di una coppia. Essi allora da metafora dell'amore tra i Due si trasformano in esche, strumenti di ricatto, alleati da contendersi, pesi da abbandonare.

Quando i Due vivono l'esperienza di una grave e irreversibile crisi o di una vera e propria rottura si pone, immancabilmente, il problema di cosa fare con i figli. È una prova sempre più frequente nel nostro tempo: si può restare genitori, ovvero condividere la responsabilità della cura e dell'educazione dei figli, senza che vi sia più l'amore tra i Due? La condizione perché questo possa accadere è che i genitori – soprattutto chi tra i Due è costretto a subire la separazione, nel caso non sia consensuale – sappiano elaborare il lutto della loro relazione, sappiano perdersi come coppia per poter continuare a esistere come genitori. Per questa ragione si dovrebbe sempre distinguere la coppia genitoriale dalla coppia amorosa.

La responsabilità illimitata che il figlio esige non deve essere mai confusa con il sacrificio del proprio diritto all'amore nel nome dei figli. Non è mai una buona cosa amputare una parte di sé, mutilare la propria vita offrendola, appunto, in sacrificio per chi amiamo. Il sacrificio è un termine che non dovrebbe trovare diritto di cittadinanza nel lessico amoroso. L'economia del sacrificio è, infatti, un'economia del risarcimento, del rimborso: mi sacrifico per avere in cambio qualcosa. Mentre quella dell'amore è di pura donazione.[19] L'atto d'amore di un genitore non do-

---

[19] Sull'opposizione fra queste due economie, mi permetto di rinviare a M. Recalcati, *Contro il sacrificio. Al di là del fantasma sacrificale*, Raffaello Cortina, Milano 2017.

vrebbe pretendere alcun rimborso perché si soddisfa in sé medesimo, nel suo stesso atto. Una coppia che decide di vivere insieme solo per il bene dei figli è una coppia senza desiderio che rischia di far diventare il figlio una sorta di piccolo idolo che comanda, in suo nome, il sacrificio dell'amore tra i Due. Ma se il legame dei Due non si nutre di desiderio reciproco non può aiutare la crescita dei figli.

Il punto è che si può restare genitori sufficientemente buoni senza essere più una coppia amorosa, perché si tratta di due funzioni differenti. Esistono famiglie dove, anche se dopo diverse difficoltà, i genitori, senza esistere più come coppia e senza più vivere insieme, hanno trovato il loro equilibrio nel garantire al figlio il diritto di essere tale. In questi casi la differenza simbolica tra la funzione di genitore e quella di uomo o donna ha prevalso sulla conflittualità rivendicativa dell'uno verso l'altro.

Sequestro libidico

La nascita di un figlio non è però solo il tempo in cui il mondo nasce una seconda volta. Non è solo il tempo della pluralità che rompe il cerchio chiuso dell'Uno. Molto frequentemente – se non sempre – la nascita di un figlio comporta anche una sorta di sequestro libidico o, quanto meno, una ridistribuzione della libido che può essere destabilizzante per la vita dei Due. È l'altra faccia, quella più spinosa, della medaglia. Un figlio non è solo la ripetizione dell'amore dei Due, ma è anche l'irruzione di un altro *tra* i Due. Questa irruzione può essere, come abbiamo visto, sorgente di bellezza, ma anche di un sentimento inedito di lontananza per i Due. Il figlio si accaparra tutta la libido in circolazione. I figli possono diventare causa di un'alterazione irreversibile del desiderio. È un rischio che contraddice l'idea comune che la nascita dei figli sia sempre un cemento della coppia. Molto spesso si verifica l'esatto contrario: la nascita di un figlio porta sempre con sé il rischio di una crisi nel mondo dei Due poiché il rafforzamento dell'ambito famigliare, del legame famigliare in quanto tale, implica inevitabilmente la tendenziale riduzione della spinta erotica del desiderio. Una delle condizioni più elementari perché vi sia desiderio erotico, infatti, è l'esistenza di una quota necessaria di distanza e di mistero. Mentre l'*eccessiva intimità* porta sempre con sé il rischio di un'*alienazione del desiderio*.

In questo senso i figli possono unire, ma possono anche separare. Solitamente questa separazione non comporta il frantumarsi della coppia, ma impone spesso una sua drastica ridefinizione: il figlio, anche quello generato dal desiderio, rischia di compromettere il desiderio nella coppia. Questo è il paradosso: il figlio sorge dal desiderio dei Due ma può anche contribuire a spegnerlo. Diventare padre e madre implica per l'uomo e la donna un cambiamento di posizione che può far collassare il desiderio. Perché accade così frequentemente? Agli occhi di un uomo la donna che diviene madre può non essere più la causa del suo desiderio erotico e agli occhi di una donna un uomo che diviene padre può inibire in egual misura quel desiderio.

Il desiderio erotico ritrova qui la barriera della sua infanzia: è interdetto avere rapporti con i propri genitori. Una sorta di incestuosità fantasmatica si rinnova (una madre e un padre non possono essere oggetti di desiderio a causa dell'interdizione dell'incesto) e può spegnere o raffreddare il desiderio tra i Due. Se il partner non è più uomo o donna, ma madre o padre, si rinnova inconsciamente l'interdetto incestuoso: diventa proibito toccarsi. Il figlio in questo caso non unisce ma separa. È qualcosa che vediamo ripetersi molto spesso: *la nascita di un figlio tende ad alterare la dialettica del desiderio nella coppia*. La donna che diventa madre può spegnere il desiderio dell'uomo in quanto la madre è il luogo primario dell'interdizione. Al tempo stesso la presenza del bambino può catturare integralmente il desiderio della donna in quello della madre tagliando fuori l'uomo: *l'oggetto fondamentale del desiderio non è più il partner ma il bambino*. Ecco perché il compito primo di una madre è quello di non essere tutta-madre, ovvero di esistere come donna che desidera, al di là dell'esistenza del proprio bambino.[20]

Quando le cose funzionano sufficientemente bene, questa alterazione della dialettica del desiderio è transitoria e non irreversibile. Non dobbiamo mai dimenticare, infatti, che il legame famigliare sufficientemente buono ha come sua finalità quella di consentire la separazione del figlio dalla famiglia. È dunque un

---

[20] Mi permetto su questo punto di rinviare a M. Recalcati, *Le mani della madre. Desiderio, fantasmi ed eredità del materno*, Feltrinelli, Milano 2015.

tipo particolare di legame: è un legame necessario a rendere possibile la separazione. Ma la separazione deve anche avvenire sul lato dei genitori. Il cosiddetto "trauma della separazione" non riguarda solo il bambino a cui viene sottratto il seno, ma anche e soprattutto l'Altro a cui viene sottratto il bambino. Per acconsentire alla separazione dal proprio bambino, una madre non deve essere risucchiata integralmente dalla sua funzione di madre, non deve mai essere solo tutta-madre. In questo senso insisto nel dire che è la donna, l'essere della donna, a separare la madre dal suo bambino. Grazie alla donna il desiderio può ritrovare la sua vitalità e non restare prigioniero del bambino.

4.
Tradimento e perdono

"Chi di voi è senza peccato, scagli per primo la pietra contro di lei."

Giovanni, 8, 7

Gelosie

La promessa dell'amore vuole essere per sempre. Ma da nessuna parte il "per sempre" dell'amore può scriversi, può essere garantito, assicurato nel suo compimento. Né nelle stelle, né nei contratti matrimoniali, né nei giuramenti religiosi il destino della promessa si trova già scritto. Nonostante gli amanti lo dichiarino, non c'è mai la garanzia che un amore sia "per sempre". La fine di un amore, anche del più grande, è sempre possibile. Lo spergiuro accompagna come un'ombra il giuramento dell'amore.

Le angosce di gelosia riflettono più di altre l'impossibilità per ogni amore di escludere la sua morte. La gelosia è infatti il sentimento che sorge nella vita dei Due all'idea che l'amata o l'amato preferisca qualcun altro. Per il geloso il tempo esclusivo del Due – il suo nascondiglio – rischia sempre di essere traumatizzato dall'irruzione di un terzo intruso che espropria uno dei Due dell'amore dell'Altro causandone la perdita. È la ragione per cui *ogni amore tende a essere geloso*. La presenza di una triangolazione minacciosa è sempre a fondamento della gelosia. Ma mentre la gelosia femminile tende a strutturarsi sul fantasma di perdere l'amore, di essere abbandonata, di non sentirsi più la sola, l'unica per l'Altro, quella maschile è tendenzialmente proiettiva: punta, cioè, a rovesciare sull'amata la spinta al tradimento che appartiene invece al soggetto geloso. È un insegnamento fondamentale dell'esperienza clinica: l'uomo geloso è in genere l'uomo (consciamente o inconsciamente) massimamente infedele. Si tratta di un modo per stornare sul partner – la donna – quello che l'uomo vive dentro di sé, per spostare all'esterno la propria colpa.

La gelosia in generale non si limita solo a interpretare – come accade all'Otello di Shakespeare, suggestionato dal laido Iago – ogni cosa alla luce del proprio fantasma di tradimento, ma getta un dubbio su tutta la vita della propria compagna: sul suo presente, sul suo futuro, sul suo passato. *Il geloso fa esperienza angosciante e non gioiosa della libertà dell'amata.* Vive questa libertà come un tormento, come il presagio costante di una perdita imminente. Anziché vivere l'amore come esposizione assoluta alla libertà assoluta dell'Altro, egli vorrebbe ridurre l'amata a un oggetto tra gli altri di cui essere il proprietario. È l'illusione della gelosia come viene illustrata da Proust:

> Noi ci figuriamo che esso [l'amore] abbia come oggetto un essere che può star coricato davanti a noi, chiuso in un corpo. Ahimè! l'amore è l'estensione di tale essere a tutti i punti

dello spazio e del tempo che ha occupati e occuperà. [...] Ma tutti quei punti non possiamo toccarli.[21]

La spinta appropriativa dell'amore vorrebbe possedere tutto il tempo (presente, passato e futuro) e tutti gli spazi occupati dall'oggetto amato. Per un verso l'amante pretende di conoscere sino in fondo l'amato, ma, per un altro verso, deve riconoscere che c'è in lui un segreto che lo rende inappropriabile, impenetrabile, illeggibile.

Nella vicenda che Alberto Moravia racconta nella *Noia*, Cecilia ha la prerogativa fondamentale di apparire al pittore che la ama come "inafferrabile". Ma questa prerogativa non si svela subito. All'inizio della loro relazione Cecilia è (soprattutto sessualmente) a totale e passiva disposizione di Dino, come fosse un oggetto inerme. Nessuna passione amorosa scatta nel suo partner finché questi non scopre che Cecilia ha un altro. Ella acquista il suo mistero solo quando rivela la sua libertà, quando mostra che il suo desiderio non si esaurisce nella relazione con il suo amante pittore. L'assenza di Cecilia diventa intollerabile perché sinonimo della sua alterità, dell'impossibilità di esercitare su di lei un possesso assoluto. Ed è proprio questa impossibilità a far sorgere in Dino una gelosia morbosa e un desiderio imperioso. Eppure, "per quanto la malmenassi, la stringessi, la mordessi e la penetrassi, io non possedevo Cecilia e lei era altrove, chissà dove".[22] In questo modo Dino deve scoprire l'aleatorietà dell'"il-

[21] M. Proust, *Alla ricerca del tempo perduto*, vol. V, *La prigioniera*, tr. it. di P. Serini, Einaudi, Torino 1978, p. 99.
[22] A. Moravia, *La noia*, Bompiani, Milano 1980, p. 167.

69

lusione maschile che vede nel possesso fisico il solo possesso reale".[23]

La vana frenesia sessuale che si impadronisce di lui è destinata a sbattere contro una verità insormontabile: nessuno può possedere la libertà assoluta dell'amato. In questo senso l'Altro è, per principio, come Cecilia incarna benissimo, sempre "inafferrabile" o, come direbbe Barthes, "inqualificabile", "atopico"[24]:

> In maniera significativa, la sensazione di non possederla realmente mi assaliva il più delle volte al momento in cui, tutta vestita, dopo avermi salutato, si avviava verso la porta per andarsene; come se la sua partenza mi avesse rivelato ad un tratto, in maniera tutta fisica, la sua immutata capacità di sottrarsi a me, di sfuggirmi. Allora la rincorrevo, l'afferravo per i capelli e la scaraventavo sul divano, senza badare alle sue proteste del resto non troppo energiche, e la prendevo di nuovo, così com'era, tutta vestita, con le scarpe ai piedi e la borsa al braccio, sempre con l'illusoria idea di cancellare, prendendola, la sua autonomia e il suo mistero. Naturalmente, subito dopo l'amplesso, mi accorgevo di non averla posseduta.[25]

Con la scoperta del tradimento inizia una nuova fase della loro storia: Cecilia appare a Dino "misteriosa" e "inafferrabile" costringendolo a tentare in tutti i modi di riportarla a quella condizione di oggetto passivo e inerme di quando l'aveva conosciuta; intensifica la frenesia sessuale, prova a ricoprirla di soldi, le propone di sposarlo, dichiara di continuare ad amarla anche se lei volesse proseguire la sua relazione

---

[23] Ivi, pp. 170-171.
[24] R. Barthes, *Frammenti di un discorso amoroso*, cit., p. 39.
[25] A. Moravia, *La noia*, cit., pp. 229-230.

adulterina, pensa addirittura di ucciderla per potersi liberare del dolore e del sentimento di mancanza che Cecilia è riuscita a introdurre nella sua vita. Ma questi sforzi non servono a nulla. Cecilia rifiuta tutte le proposte che le vengono rivolte per preservare la propria libertà. La lacerazione della sua condizione dovuta al suo amore non pienamente corrisposto diviene per Dino insopportabile al punto da determinare un passaggio all'atto suicidario che lo conduce a schiantarsi con la sua autovettura contro un albero.

Al cuore della gelosia c'è il terrore di essere privato dell'oggetto amato e, di conseguenza, l'esigenza di assicurarsene un possesso assoluto. Per questo non è casuale che la gelosia possa sfociare anche in atti violenti che vorrebbero ribadire la proprietà esclusiva dell'amata. Il possesso geloso vorrebbe sopprimere l'impenetrabilità dell'amata, limitare la sua libertà fino a ridurla a un oggetto tra gli altri sul quale poter esercitare il proprio dominio illimitato. Ma questo è impossibile.

Ogni grande amore può morire

Una verità scomoda circonda gli amanti: ogni amore, anche il più grande e il più assoluto, può morire. Ogni amore può incontrare prematuramente la sua fine, può contraddire la sua aspirazione all'eterno. Ogni amore che giura fedeltà può incontrare il suo spergiuro, può conoscere prima o poi la sua agonia.

Quello che nella gelosia restava a livello fantasmatico, nella forma di un timore permanente di sentirsi tradito, nel tradimento si realizza di fatto. Quando si incontra lo spigolo duro del tradimento è la verità profonda dell'amore che viene alla luce: non solo chi ama-

71

vo ha tradito la sua promessa, ma ogni promessa, la promessa stessa dell'amore, la promessa che sia per sempre, si rivela essere una promessa che può vivere solo precariamente, che non può essere assicurata da nessun contratto e da nessun giuramento. Allora la scoperta del tradimento è assai simile a quello che racconta Jean Améry, scrittore austriaco che partecipò alla resistenza belga contro l'invasione nazista, di quando venne catturato e sottoposto a tortura. Egli sapeva benissimo che con la sua militanza rischiava la propria vita. Lo sapeva razionalmente. Come sapeva bene che, nel caso di una sua cattura, non gli sarebbe stata risparmiata la violenza del carcere e della tortura per estorcergli informazioni. Ma questo sapere restava, per così dire, astratto. Solo dopo esser stato legato alla sedia dai suoi aguzzini e aver ricevuto il primo colpo incontra davvero la verità di ciò che sapeva già:

> Con la prima percossa il detenuto si rende conto di essere *abbandonato* a sé stesso: essa contiene quindi in nuce tutto ciò che accadrà in seguito. Dopo il primo colpo, la tortura e la morte in cella [...] sono presentite come possibilità reali, anzi come certezze. Sono autorizzati a darmi un pugno in faccia [...] faranno di me ciò che vogliono. Fuori nessuno è informato e nessuno fa nulla per me. Chi volesse correre in mio soccorso, una moglie, una madre, un fratello o un amico, non potrebbe giungere sin qui. [...] Con la prima percossa, però, la fiducia nel mondo crolla.[26]

La prima percossa subita non si limita a violare i confini del corpo, ma fa cadere la fiducia stessa nel

---

[26] J. Améry, *Intellettuale a Auschwitz*, tr. it. di E. Ganni, Bollati Boringhieri, Torino 2011, pp. 65-66.

mondo. Nelle mani dei suoi carnefici, egli si sente violato nella sua più nuda intimità. Un'esperienza solitaria della caduta si impone. Nessuno può più soccorrerlo. Ha perduto tutto. Quello che fino alla "prima percossa" egli sapeva solo astrattamente, razionalmente, diviene ora una realtà atroce.

Ebbene, non accade qualcosa di simile all'innamorato tradito nella sua fiducia? Lo sappiamo: ogni amante sa bene che nessun amore – compreso il proprio – può dirsi davvero "per sempre", può essere sicuro della propria promessa. Eppure l'amante incontra davvero l'asprezza di questa verità solo quando fa esperienza del trauma del tradimento, quando, come accade ad Améry, legato a una sedia, riceve il primo colpo, la prima percossa. Per entrambi la sensazione è quella di essere senza ritorno, di aver perduto tutto.

Se prima l'amore dell'amato dava senso al mondo, con il trauma del tradimento nulla è più come prima: il mondo si trova spogliato di senso. Io sono abbandonato a me stesso. Non viene meno solo la fiducia in chi amavo, ma la fiducia stessa in quel mondo che è nato insieme al mio amore.

L'atrocità del lavoro del perdono

È possibile perdonare un tradimento?[27] È possibile per un amore che ha conosciuto la menzogna, l'impostura, lo spergiuro, tornare ad amare lo stesso? Il per-

[27] Mi permetto su questo tema di rinviare a M. Recalcati, *Non è più come prima. Elogio del perdono nella vita amorosa*, Raffaello Cortina, Milano 2014.

dono è un lavoro atroce. Per certi versi ricorda quello del lutto. Si tratta di digerire psichicamente una perdita. L'immagine ideale dell'amato si è rotta per sempre. Il vaso è andato in frantumi. E non si può più recuperare, tornare a com'era prima. Ma a differenza del carattere penoso del lavoro del lutto, il lavoro atroce del perdono implica che l'oggetto non sia irreversibilmente morto. È morto, ma è ancora vivo. È andato via, ma è ancora qui.

Possiamo dimenticare un tradimento? Il tempo, come si dice, non dovrebbe curare le ferite? Lo si dimentica per indebolimento, per estinzione naturale del ricordo del trauma del tradimento? Per perdita di memoria? Una sorta di amnesia calerebbe allora sulla ferita dell'amante facendo cadere nell'oblio la percossa subita?

Come nel lavoro del lutto, anche il perdono costeggia la caduta, la perdita di una presenza che dava senso al mondo e alla mia esistenza. Questa presenza ora non esiste più. È la doppia esperienza della mancanza che accade in ogni lutto: il mondo senza quella presenza è svuotato di senso e la mia esistenza è un'esistenza perduta come è perduto il mondo.

Il perdono non può mai essere una risposta immediata al tradimento. Esige tempo, come ogni lavoro del lutto. Non esiste lutto rapido o lutto facile, come non esiste perdono reattivo. In questo consiste l'atrocità del suo lavoro: ci vuole tempo. Inoltre, il lavoro del perdono, come quello del lutto, non cancella il trauma della perdita, non può dimenticarlo ma solo provare a rielaborarlo simbolicamente. Perdonare non significa, infatti, dimenticare; *non si per-*

dona perché si dimentica, ma si può dimenticare solo se si perdona.

Esiste una sola condizione affinché il lavoro del perdono possa giungere a compimento: si tratta di *accogliere l'imperfezione dell'Altro* come una figura della mia stessa imperfezione. Si può perdonare per amore ma si può anche, con la stessa dignità, non riuscire a perdonare per amore. L'imperdonabile con cui il trauma del tradimento ci confronta non è nel tradimento del corpo, ma nel tradimento del patto e della parola che il tradimento del corpo comporta. Un amore può sempre finire; ma il tradimento non implica necessariamente la fine di un amore. Al contrario, chi tradisce e vive con angoscia il suo atto è perché vorrebbe continuare a restare nell'amore; chi tradisce, molto spesso, ama colui che tradisce.

Per questa ragione il dramma del tradimento può coinvolgere anche chi ha tradito se egli è ancora nell'amore. E perdonare se stessi è forse ancora più difficile che perdonare l'Altro. In questo senso un addio è meno atroce e doloroso del tradimento perché, nel tradimento, colui che rompe il patto chiede all'amore di continuare a esistere, chiede all'amore di non morire dopo averlo ferito a morte, chiede che si passi lungo la via atroce del lavoro del perdono. È solo grazie a questo lavoro che, in fondo, non ha mai veramente una fine – il perdono, come ricorda in diverse occasioni Derrida, è tale solo se è in grado di "perdonare l'imperdonabile"[28] – che la vita dell'amore può ricominciare,

[28] J. Derrida, *Perdonare*, tr. it. di L. Odello, Raffaello Cortina, Milano 2004.

può riprendersi e ripartire. Con l'aggiunta doverosa che non siamo padroni di questo lavoro. Non si può decidere di perdonare. È solo il lavoro atroce del perdono che può far accadere il perdono. Non come un suo esito, ma come una sorta di dono supplementare, come una specie di grazia.

La ferita che diventa poesia

Come accade per il lavoro difficile del lutto, anche il lavoro del perdono non riesce mai a cancellare la ferita aperta dal trauma del tradimento. Nel lutto si tratta della ferita provocata dalla perdita di chi non è più tra noi, nel perdono si tratta della ferita provocata dalla perdita di fiducia nella parola dell'amata o dell'amato. La cicatrice del tradimento resta tatuata sul corpo dell'amante. La sua presenza è indelebile. Il vaso non può tornare com'era prima della sua rottura. Il perdono non può cancellare la ferita. Piuttosto, quando accade, trasforma la ferita elevandola alla dignità della poesia.

Esiste un'antica arte giapponese che può servirci per raffigurare il miracolo del perdono. Si chiama Kintsugi. Una leggenda la circonda: un mandarino molto potente rompe accidentalmente un vaso della sua preziosa collezione. Disperato, cerca un artigiano in grado di ricomporre il vaso com'era prima dell'incidente. Gli viene fornito un nome ed egli affida i cocci del suo pregiato vaso nelle mani di questo vecchio artigiano. Il quale però, anziché provare a nascondere le spaccature del vaso, a ricostruirlo com'era prima cancellandone le crepe, le mette volutamente in evidenza dipingendole d'oro. Si racconta che altri mandarini, venuti a conoscenza della bellezza struggente di questo vaso, abbiano rotto apposta i propri chiedendo che fossero ricomposti con lo stesso stile. Nell'arte del Kintsugi vediamo in atto una straordinaria operazione: il vaso è ancora quello di prima anche se non è più quello di prima. Ha cambiato immagine, è un altro vaso, eppure è costruito sui resti del vaso rotto. Nonostante il trauma della sua rottura, grazie alle mani sapienti del vecchio artigiano è divenuto *l'occasione per una nuova creazione*. I punti di rottura sono stati dipinti d'oro; le cicatrici sono divenute poesie. In questo senso l'esperienza del perdono è un'esperienza di *resurrezione*. L'amore che pareva morto, finito, gettato nella polvere, senza speranza, ritorna in vita, ricomincia, riparte. Grazie al perdono, la perdita e la morte dell'amore non sono l'ultima parola sull'amore: il perdono consente all'amore di ricominciare, come alla vita che si pensava fosse morta di rinascere. Il perdono afferma che la distruzione e la morte non sono le ultime parole sulla vita.

5.
La violenza

"Il sadico cerca di impadronirsi della libertà della vittima. Ma proprio questa libertà rimane per principio fuori portata. E più il sadico si accanisce a trattare l'altro come strumento, più questa libertà gli sfugge."

J.-P. Sartre, *L'essere e il nulla*

La cagna di Hitler

Ci sono cose belle, poi ci sono cose brutte, le cose belle sono molte di più delle brutte, le cose belle ci sono tutti i giorni, le cose brutte solo in certi momenti del giorno e poi passano via veloci e tornano le cose belle. Una piccola cosa bella è grattarsi. Così (*si gratta dietro l'orecchio*). O così (*si gratta sotto la pancia*). Una cosa bella di più è la pallina, masticare la pallina, sentire la pallina sotto i denti, tenere la pallina tra i denti, farla cadere dalla bocca, riprendere la pallina tra i denti, masticare, masticare la pallina. Le cose belle sono anche il biscotto, sentire l'odore del biscotto, avvicinare il muso al biscotto e poi (piano, però, piaaano) prendere il biscotto tra i denti, masticare il biscotto, sentire il biscotto che si rompe sulla lingua, mangiare il biscotto. L'altra cosa bella del biscotto è che me lo danno quando ho fatto la brava, se sono brava mi danno il biscotto, e dopo il biscotto una carezza sulla testa, un biscotto e una carezza, e insieme alla carezza c'è una cosa ancora più bella del biscotto, c'è una cosa che è più bella di tutte le altre (la dico), c'è una cosa che senza anche le altre cose belle non sono più belle (la dico, la dico), c'è una cosa che alla fine è la cosa più bella di tutte le cose più belle (adesso la dico, la dico, la dico); la cosa più bella di tutte è il padrone, il padrone, il padrone! [...] Il padrone è la cosa che fa diventare ancora più belle le cose già belle. [...] Seguire il padrone, sentire l'odore dei suoi stivali. Il mio padrone ha gli stivali. [...] L'importante è che c'è il padrone. Avere un padrone con gli stivali [...] è la cosa più bella del mondo![29]

È il cane di Hitler, Blondi, che parla. In realtà, la cagna di Hitler. È forse questo il desiderio di ogni uomo, il suo amore ideale? Avere come partner una cagna obbediente e scodinzolante? Hitler amava probabilmente le donne che somigliavano alla sua cagna, disposte a tutto per lui ma senza mai poter avere un reale rapporto con lui. Sarebbe questo il desiderio amoroso di un uomo? È indubbio che per gli uomini l'amore è un'esperienza che erode la loro identità. Gli uomini tendono, infatti, sempre a essere indivisi, in divisa, compatti. La parata fallica dell'uomo esibisce il prestigio fallico che esclude la mancanza, la ferita, la fragilità. L'amore, al contrario, introduce la mancanza in seno all'identità compatta che il possesso del fallo vorrebbe istituire. Rendendo più confidenziale il rapporto di un uomo con la sua mancanza, l'amore rende un uomo simile a una donna. L'amata non è ciò che deve riempire un vuoto – *"ti amo perché mi manchi"* –, ma è ciò che apre un vuoto – *"mi manchi perché ti amo"*. Per questo Lacan dichiarava che l'amore – qualunque forma assuma: omosessuale, eterosessuale, lesbico ecc. – è sempre "amore per una donna", per la libertà assoluta di cui la donna è l'emblema. Il

---

[29] M. Sgorbani, *Blondi (il cane di Hitler)*, in *Innamorate dello spavento*, Titivillus, Pisa 2013, pp. 18-19.

feticismo, come la violenza su un altro, ben più terribile piano, è uno dei modi maschili di esorcizzare l'anarchia ingovernabile della donna. Nella *Migliore offerta* (2013) di Tornatore un uomo riduce l'anarchia irriducibile della donna a una serie di quadri che, nel bunker della sua casa, contempla in estasi. Meglio possedere l'immagine della donna che confrontarsi con una donna reale. Le immagini, spiegava un paziente dedito a una masturbazione compulsiva, non parlano, posso farne quello che voglio. È una forma di feticismo retinico: scegliere una parte del corpo o un oggetto da situare al posto della libertà, dell'anarchia, della singolarità della donna.

Ma la spinta appropriativa appartiene all'amore in quanto tale? Non all'amore malato, ma al desiderio amoroso che vuole che l'amato non se ne vada, che resti sempre suo? Se l'amore è una tregua dal dolore del mondo, non vorremmo mai perdere la possibilità unica che esso ci offre. Desideriamo confonderci con chi amiamo, sentire il nostro cuore nel suo, perderci in lui. Per questa ragione amare non è mai amare qualcosa dell'Altro ma "tutto", amare "tutto" dell'Altro, ogni suo più infimo dettaglio, ogni sua imperfezione, ogni suo sintomo. Al tempo stesso però nessun amore potrà mai fare o essere un "tutto" con l'Altro.

L'amore ama tutto dell'Altro ma non può fare tutto con l'Altro. L'alterità assoluta dell'Altro vieta infatti che i Due possano mai fare Uno. Ogni amore è obbligato a sperimentare di essere sempre un "non-tutto" perché nella sua esperienza deve incontrare l'impossibilità dell'unificazione e dell'immedesimazione. Non si tratta però di un limite, di uno scacco, di una trappola. È la bellezza miracolosa dell'amore: amare tutto dell'Altro senza mai poter essere un tutto con l'Altro. Essere attratti dal suo mistero, dal suo segreto, dalla sua alterità che non possono mai essere nostri. Per questo Lacan affermava, in un modo solo a prima vista ermetico, che *quando si ama si ama sempre una donna*. Cosa significa? Se la donna è il nome dell'*eteros*, dell'alterità, della sua impenetrabilità, inappropriabilità, allora amare è sempre amare una donna, amare, cioè, l'*eteros*. Il che comporta, per citare un altro aforisma di Lacan, che l'amore sia sempre "eterosessuale" perché non c'è amore che non sia, appunto, amore per l'*eteros*. In gioco è evidentemente un'eterosessualità non anatomica, che è tale in quanto ci espone all'incontro con la differenza inassimilabile dell'Altro. Per questo l'amore esclude l'omogeneo, l'*omo*, la somiglianza, l'identità.

Un amore lesbico o omosessuale, come un amore cosiddetto eterosessuale, può essere tale, ovvero un amore, solo se è amore per l'*eteros*, ovvero amore eterosessuale non in senso anatomico, ma in un senso profondamente etico: amore per una donna. L'amore è sempre eterosessuale perché o è amore per l'*eteros* nella sua alterità o non è amore. L'amore è sempre amore per una donna se, appunto, una donna incarna nel modo più radicale possibile l'esperienza della non-omogeneità, del non-identico, della differenza.

Questa premessa ha come conseguenza il fatto che l'amore è sempre un'esposizione rischiosa alla libertà irriducibile dell'Altro. Non c'è amore possibile se non c'è fiducia senza riserve verso un Altro che so di non poter mai conoscere veramente, che so essere, appunto, *eteros*, differente da me e impossibile da possedere.

Libertà e proprietà

Eppure l'amore implica sempre un desiderio appropriativo. Non si tratta però di possedere semplicemente il corpo dell'amata o dell'amato. Non si tratta, come prova a fare il protagonista della *Ricerca del tempo perduto* di Proust o quello della *Noia* di Moravia, di imprigionare, di possedere la libertà dell'amata perché sia solo mia. Il disegno che accompagna ogni amore è più sottile: non voglio che il possesso dell'amato escluda la sua libertà; non voglio ottenere la sua assoluta fedeltà limitando la sua libertà come accade, per esempio, al protagonista della *Recherche* che costringe Albertine a vivere rinchiusa nella propria casa. L'ambizione dell'amante è differente: egli desidera che l'amata gli sia fedele, che sia solo sua, ma come frutto di una scelta assolutamente libera e non come esito di una forma qualunque di coercizione. Questo è il sogno di ogni innamorato: possedere la libertà dell'amato in quanto libertà. Possedere la sua libertà lasciandolo libero. Ma come può esistere, si chiedeva giustamente Sartre che rifletteva su questo paradosso intrinseco a ogni amore, una "libertà prigioniera"? Non è questa una chiara contraddizione in termini?[30]

---

[30] Cfr. J.-P. Sartre, *L'essere e il nulla*, cit., p. 450.

Quando posseggo il mio amore come se fosse una cosa, il mio desiderio è destinato a spegnersi e il mio stesso amore a perire perché io non desidero solo il corpo dell'amata, non desidero il suo possesso assoluto solo come frutto di una coercizione. Il paradosso è che, se impedisco all'amata di essere libera, mutilo il mio stesso desiderio amoroso, che può esistere solo grazie alla libertà dell'Altro. È il primo scoglio del problema. Alberto Moravia nella *Noia* lo ha, come abbiamo visto, illustrato con precisione mostrando che, per Dino, Cecilia acquista davvero il valore di un oggetto amoroso ed erotico solo attraverso la sua assenza, il suo essere altrove, il suo tradimento. Quando invece Cecilia è a sua disposizione, presente, di sua proprietà, scatta in lui la noia:

La figura di Cecilia, la quale, finché l'avevo sospettata di tradirmi, mi era stata davanti agli occhi viva e reale benché misteriosa, anzi, appunto perché misteriosa; adesso che dubitavo del suo tradimento, ridiventava irreale e noiosa come nei giorni passati.[31]

Il bivio in cui si trova il protagonista del romanzo di Moravia è un bivio che può ricorrere spesso nell'esperienza dell'amore. Da una parte c'è un possesso che tarpa le ali al desiderio perché il desiderio ha la necessità di cogliere l'Altro non come un oggetto a propria disposizione, ma come un vero e proprio soggetto; dall'altra parte, però, se imbocco questa via – la via che attribuisce all'amata la dignità di un soggetto

[31] A. Moravia, *La noia*, cit., p. 159.

pienamente libero –, se, dunque, rinuncio a ogni disegno appropriativo, se, come chiede la dignità dell'a-
more, provo a disarmarmi di fronte alla libertà dell'Altro, sono costretto fatalmente a fare esperienza della
sua irriducibilità, del suo essere inappropriabile. È
questo il secondo scoglio del problema: non posso
comprare, incarcerare, possedere la libertà dell'*eteros*,
ma solo amarla nella sua alterità. Nondimeno, amarla
significa coglierne il carattere sfuggente e irraggiungibile, come accade nel paradosso di Achille e la tartaruga.

In altre parole, gli sforzi per possedere una libertà
come libertà sono sempre votati allo scacco. Devo allora fare esperienza dell'assoluta impenetrabilità, inas-
similabilità dell'Altro, del suo segreto irraggiungibile.
Per questa ragione per Proust l'essere della donna amata è sempre un "essere di fuga", un essere *in fuga* anche quando lo stringiamo tra le nostre braccia; insomma, un essere che per sua natura non può mai essere
"nostro":

> Esseri simili sono esseri di fuga. Per capire l'emozione che
> suscitano, e che altri esseri, anche più belli, non causano, bi-
> sogna riflettere che essi non sono immobili, ma in movimen-
> to, e aggiunger loro un segno corrispondente a quello che, in
> fisica, indica la velocità.[32]

Il fatto che Proust definisca l'essere amato in movimento mostra bene il rischio che ogni amore implica.

[32] M. Proust, *Alla ricerca del tempo perduto*, vol. V, *La prigioniera*,
cit., pp. 89-90.

Se l'amata è immobile nel suo corpo quando questo è nelle mie braccia, tale immobilità è solo apparente perché anche tra le mie braccia, come giustamente ci ricorda Proust, il suo essere è sempre altrove. Non posso mai appropriarmi della sua assoluta libertà. È il paradosso che Barthes ha descritto in modo mirabile con l'esempio del bambino che smonta una sveglia cercando di carpire il segreto del tempo:

> Io frugo il corpo dell'altro, come se volessi vedere cosa c'è dentro, come se la causa meccanica del mio desiderio si trovasse nel corpo antagonista (sono come quei bambini che smontano una sveglia per sapere che cos'è il tempo).[33]

Non è allora così certo che coloro che lamentano di essere senza amore desiderino davvero esporre la loro vita al rischio che l'impatto con questa alterità irriducibile comporta. In particolare questo vale per gli uomini, per i quali l'incontro d'amore è un'esperienza che erode fatalmente la loro identità. Per questo Barthes ha potuto scrivere che l'amore implica sempre una certa quota "miracolosa" di "femminilizzazione" in ogni uomo.[34] È infatti l'innamoramento che rende un uomo simile a una donna, ovvero più esposto al rischio dell'amore, della perdita e della mancanza, non ingombrato dall'avere fallico. L'amore è di sesso femminile: è sempre amore per una donna, per la libertà assoluta di cui la donna è l'emblema.

---

[33] R. Barthes, *Frammenti di un discorso amoroso*, cit., p. 61.
[34] Ivi, p. 34.

La violenza come profanazione dell'amore

La violenza che vorrebbe ridurre l'Altro a un oggetto nelle nostre mani non ha nulla a che fare con l'amore, ma è solo una sua distorsione patologica o, meglio, una sua profanazione. Se l'esperienza amorosa ci confronta con il desiderio di trattenere con noi la persona che amiamo, di sentirla solo nostra, di condividere la dimensione incondivisibile della sua libertà, è perché, in realtà, ciascun amante sa che l'incanto dell'amore può sempre finire, che non è già scritto che sia per sempre. Anche in questo senso l'amore porta con sé un grande rischio. L'esperienza dell'amore mina sempre la nostra identità rendendoci mancanti. Destabilizza la nostra autosufficienza rendendoci dipendenti dall'Altro: *non ti amo perché mi manchi, ma mi manchi perché ti amo*.

Il ricorso alla violenza può essere il tentativo disperato di evitare il rischio della perdita e della fine che ogni amore comporta, imponendo all'amato una sorta di laccio indissolubile. La violenza dell'appropriazione vorrebbe trasformare la donna in un oggetto senza vita piuttosto che essere esposti al rischio di perderla. Anziché confrontarmi con l'assoluta libertà dell'Altro preferisco farmi padrone assoluto di questa libertà. Voglio fare dell'amata una "roba mia", come direbbe il Mastro don Gesualdo di Giovanni Verga, metterla nella sua "cassetta" come desidererebbe invece fare l'avaro di Molière. È un'attitudine tipicamente maschile, fondata culturalmente sull'ideologia patriarcale che attribuiva alla donna come suo unico destino – o, meglio, come la sola emendazione possibile della sua peccaminosità intrinseca – il diventare madre. È la nota opposizione patriarcale tra la donna-Eva (fonte di tentazione e distruzione) e la madre-Maria (fonte di ogni bene) che ha ispirato l'uso necessario e terrificante del fuoco, teorizzato dai domenicani nel *Malleus maleficarum* ("Il martello delle streghe", 1487), come strumento di tortura, espiazione, purificazione e redenzione finale della donna dal potere immondo del diavolo che la possiede. Anche in questa scena – quella dell'eliminazione fisica delle streghe – in primo piano è una rappresentazione misogina – non solo sessuofobica – della donna. La strega appariva come il simbolo del carattere anarchico e indomabile – del carattere *eteros* – della femminilità che rifiuta di adattarsi passivamente alla rappresentazione patriarcale della donna come custode del focolare e madre premurosa dei propri figli. Solo nel sacrificio di sé, della propria libertà e dei propri desideri, una donna, secondo quella cultura, poteva redimere la propria natura peccatrice e tentatrice e la debolezza innata del suo intelletto – incarnata nella figura biblica di Eva – consacrandosi masochisticamente alla sua funzione di genitrice e di serva obbediente della famiglia.

Nell'ideologia del patriarcato la donna non tuttamadre è la puttana: Eva la peccatrice contro Maria la vergine. Nondimeno, il corpo della donna resta solo un falso bersaglio sul quale si scatena la violenza maschilista. In realtà, questa violenza ha come suo vero obiettivo quello di intaccare, di colpire la libertà della donna, di trasformare la donna nella cagna di Hitler. La libertà è, infatti, sinonimo di alterità ed è ciò che la cultura patriarcale ha cercato in tutti i modi di estirpare dal corpo della donna.

È quello che appare con forza drammatica in una scena cruciale dell'*Amica geniale* di Elena Ferrante, nel gesto del ragazzo che cerca di strappare letteralmente la lingua a Lila perché si rifiuta di obbedire ai suoi comandi. Nella trasposizione cinematografica proposta recentemente da Saverio Costanzo, questa scena viene, rispetto al testo della Ferrante, giustamente enfatizzata. La colpa imperdonabile di Lila sarebbe stata quella di aver umiliato il fratello minore del ragazzo in un'aula scolastica mostrandosi assai più preparata di lui. La lingua diventa allora metafora essenziale della libertà della donna. Ridurre, quindi, Lila al silenzio strappandole la lingua – o trafiggendogliela con uno spillo come si racconta nel testo[35] – significa voler privare l'Altro della sua libertà sottomettendo la donna al potere del maschio. In questo caso l'esercizio della violenza da parte del ragazzo si sposa perfettamente con il sadismo in difesa del proprio onore di maschio che ha subìto un affronto.

Il rifiuto della femminilità

Da questo episodio letterario – come da altri innumerevoli fatti di cronaca sino agli atti apertamente criminali di femminicidio – si vede bene come la violenza maschilista vorrebbe bruciare lo scarto che la libertà

---

[35] E. Ferrante, *L'amica geniale*, Edizioni e/o, Roma 2011, p. 48.

della donna introduce rispetto a ogni mira appropriativa. Questa violenza reagisce all'angoscia provata di fronte alla libertà senza garanzie che ogni donna incarna. Anche le donne possono uccidere, perseguitare o odiare per amore. In questo caso è come se restassero intrappolate nel miraggio della violenza che confonde come in un'illusione ottica l'amore con il diritto di appropriazione della libertà dell'Altro.

Questo significa che la difficoltà di amare la differenza, di amare l'Altro come incarnazione dell'*eteros*, è una difficoltà che si può trovare anche nelle donne. Non a caso Freud parlava del "rifiuto della femminilità" – dell'*eteros* della donna, che non coincide ovviamente con la sua mancanza del fallo – come di un problema comune ai due sessi. Rifiutare la femminilità significa non sopportare l'alterità della libertà che la donna incarna. In un uomo questo significa rigettare la donna come luogo della mancanza, della disidentità, della propria castrazione. Ma per una donna? Cosa significa per una donna il rifiuto della femminilità? Se una donna è ciò che erode l'identità, se la donna è – come abbiamo visto – il nome più proprio della libertà, se, come direbbe Lacan, la Donna non esiste, se non esiste l'identità della Donna, allora ogni donna, una per una, è obbligata a inventarsi la propria identità femminile sullo sfondo della sua inesistenza universale. In altre parole, se la Donna non è una norma valida per tutte le donne con cui identificarsi, se, insomma, questa norma – la normalità della donna – non esiste, allora ciascuna donna dovrà affrontare il difficile compito di essere donna a suo modo.

Mentre l'identità fallica è una divisa che vale per

tutti gli uomini, questa divisa non esiste per le donne. Ogni donna è un'eccezione, ogni donna è unica, ogni donna inventa il proprio modo di essere una donna. Mentre il maschio eredita dal padre le insegne della virilità – della sua identità fallica –, per una donna nemmeno la madre sa davvero cosa significhi essere una donna. Di qui la deriva spesso astiosa, furiosamente ambivalente, che può caratterizzare il rapporto madre-figlia: la figlia può indirizzare la sua aggressività verso la madre, colpevole di non aver saputo rispondere alla domanda: "Cosa significa essere una donna?".

Dunque, nessuna donna sa veramente cosa significhi essere una donna. È su questo non-sapere che allora può intervenire la violenza maschilista che, paradossalmente, porta sempre con sé una sorta di vocazione pedagogica: voler spiegare a una donna cosa significhi essere una donna. Ma se una donna non sa rispondere a questa domanda, figuriamoci un uomo... Alcune donne possono cadere nella trappola di vedere nell'uomo una bussola infallibile che le sappia guidare verso l'essere donna. È un'illusione molto pericolosa che può comportare un'inclinazione masochistica verso l'uomo-padrone: subire la violenza per avere in cambio la risposta alla domanda: "Cosa significa essere una donna?". Cercare nell'uomo la via per orientare la propria libertà senza esserne angosciate – "Come posso diventare una vera donna?" – sino al limite di farsi oggetto (masochistico) della violenza maschile. Incarnare l'oggetto feticistico del fantasma maschile, assecondando, come la cagna di Hitler, tutte le sue volontà.

Per questa ragione l'uomo tende spesso a porsi perversamente come educatore della donna all'obbedienza. L'uomo violento nasconde sempre un pedagogo sadico: vorrebbe spiegare alla donna come si deve amare e come l'amore coincida con l'abnegazione di se stessi, con la propria schiavitù. Con l'aggiunta che una delle manifestazioni della libertà della donna riguarda proprio il godimento del suo corpo. Esiste infatti una netta divergenza tra il modo di godere femminile e il modo di godere maschile. Il godimento dell'uomo è egemonizzato dalla monarchia del fallo; è un godimento evidente, esteriore, delimitato dall'orgasmo e dalla detumescenza successiva dell'organo. Il suo ingranaggio è di tipo idraulico. Il godimento femminile, invece, non è evidente – una donna, diversamente da un uomo, può mentire sul suo orgasmo e sul suo piacere –, non è colonizzato dal fallo, non risponde affatto a una meccanica idraulica. Il godimento femminile si sottrae alla monarchia del fallo per disperdersi su tutta la superficie del corpo. Questo godimento è anarchico, smisurato, senza limite; l'orgasmo non lo spegne ma può riaccenderlo; è un godimento che Freud avrebbe definito "oceanico". Di fronte al senza fondo di questo godimento ogni uomo vive un sentimento di inadeguatezza e di impotenza. Per preservare la propria potenza ed esorcizzare l'abisso del godimento femminile – che non spaventa solo gli uomini ma anche le donne –, gli uomini possono identificare la donna con la puttana. L'affermazione "sono tutte puttane" è infatti il modo comune con il quale essi provano a schermare il godimento femminile.

Un altro aspetto inquietante della violenza sulle donne è come sia possibile che le donne che subiscono la violenza maschile, anziché staccarsi risolutamente dalla fiamma che le ustiona, vi restino tenacemente attaccate. Non dipende solo dalla pervasività culturale dell'ideologia patriarcale. Ho avuto in analisi diverse donne emancipate che vivevano con un senso di profondo smarrimento questa condizione. Possiamo forse spiegare questo enigma ricorrendo proprio alla categoria freudiana del "rifiuto della femminilità". Esistono donne che si abituano alla violenza perché di fronte al problema, vissuto come irrisolvibile, della loro identità femminile – "Cosa significa essere una donna?" – tendono a fare dell'uomo – che, in realtà, non sa proprio nulla del mistero della donna – il loro padrone sadico, consegnando in questo modo nelle mani dell'uomo la responsabilità di risolvere quel problema. Il risultato è una sottomissione all'uomo che incentiva la sofferenza e, insieme a essa, un sentimento frustrante di dipendenza. Il risultato è quello di consegnare la propria vita in mani sadiche che, anziché nutrire l'amore, lo uccidono:

> "Brava Blondi," suona il padrone, e mi viene vicino vicino. Il mio padrone. La cosa più bella del mondo vicina vicina (padrone mio, padrone mio mio) e una cosa nelle mani che non è biscotto, che non è pallina, cosa che non ha colore e che nelle sue mani fa crac. [...] Non è biscotto. Mi chiudono la bocca, le mani forti. Mi guarda, il padrone, ma io non lo vedo più... Blondi vede solo Blondi...[36]

[36] M. Sgorbani, *Blondi (il cane di Hitler)*, in *Innamorate dello spavento*, cit., p. 41.

6.
Separazioni

"Il *fading* dell'oggetto amato è il terrificante ritorno della Madre Cattiva, l'inspiegabile ritiro dell'amore, la sensazione di sentirsi abbandonati ben nota ai Mistici: Dio esiste, la Madre c'è, ma essi *non amano più*. Non sono distrutto, ma *lasciato là*, come un rifiuto."

R. Barthes, *Frammenti di un discorso amoroso*

Indifferenza e spergiuro

Ogni promessa, compresa la promessa d'amore, contiene un'ambiguità; ogni giuramento, come ricorda Derrida, porta con sé l'ombra spessa dello spergiuro. Non per malafede, ma per l'inesorabilità delle cose. Colui che oggi promette che l'amore che lo lega all'Altro sarà per sempre, anche solo fra qualche mese non sarà più lo stesso di quando ha formulato il suo giuramento. Dunque il patto tra gli amanti – al di là delle stelle e dei contratti matrimoniali – esige che la fedeltà al "per sempre", alla promessa, sia rinnovata giorno dopo giorno. Sicché ogni amore che vuole essere per sempre può conoscere sempre, in ogni istante, la sua fine. Ogni amore, pur volendo essere eterno, cammina sempre sul filo teso e sottile dell'apparizione e della sparizione, della vita e della morte.

Perché allora, si chiede giustamente Barthes, durare sarebbe meglio di bruciare? Non sarebbe meglio bruciare senza rincorrere inutilmente l'illusione di durare? Ma non è questa forse la lusinga del nostro tempo? Il desiderio brucia o dura senza vita. Non c'è possibilità che l'amore duri bruciando. Durare e bruciare si escludono: se si brucia non si dura e se si dura non si brucia.

Ogni rapporto d'amore vive sempre in bilico. Non è affatto, come ritiene il senso comune, fare ed essere Uno con l'Altro; l'amore non è mai un "tutto". Io amo *tutto* dell'Altro, ma l'amore è sempre un *non-tutto*, esclude la coincidenza, la fusione, la compenetrazione.

È stato Platone, attraverso il discorso di Aristofane nel *Simposio*, a generare l'illusione dell'amore sferico, dell'amore come ricomposizione dell'intero, come Uno. Il mito di Eros raccontato da Aristofane scandisce in tre tempi la genesi di questa illusione. In un primo tempo sarebbero esistiti esseri androgini, ermafroditi cilindrici che possedevano entrambi i sessi. La loro autosufficienza e la loro arroganza li spinsero ad assalire il cielo sfidando la potenza di Zeus. Per questo nel secondo tempo del mito egli interviene tagliando in due il loro essere. Ma le metà separate erano sofferenti e tristi. Mosso a pietà, Zeus – ed è questo il terzo e ultimo tempo del mito – sposta sul davanti i loro sessi ormai separati consentendo l'accoppiamento. Per questo ogni metà separata ricerca la sua parte perduta. Platone chiama amore questa "caccia dell'intero", questa spinta al "recupero dell'antica unità", questa aspirazione a ricomporre l'Uno dell'Origine che ha subìto l'offesa della divisione.[37]

---

[37] Cfr. Platone, *Simposio*, in *Opere*, Laterza, Bari 1973.

Questo mito sembra contraddire la nostra esperienza dell'amore. Se il rischio della fine accompagna sempre gli amanti, sin dal giorno del loro primo incontro, è perché, anche quando l'amore somiglia a un destino, niente può assicurare che duri nel tempo. L'imprevisto pieno di gioia e di estasi dell'incontro amoroso può ribaltarsi nell'imprevisto cupo e drammatico del distacco e della fine. L'amore, da balsamo, può sempre diventare una tortura. Sembrava il rimedio di fronte al dolore di esistere e si rivela in realtà come ciò che acutizza quel dolore; doveva essere la possibilità di diventare "completi", di fare e di essere Uno con l'Altro e invece, come fa giustamente notare il protagonista dell'*Animale morente* di Roth, esaspera la divisione, "ti spezza":

> L'unica ossessione che vogliono tutti: l'"amore". Cosa crede, la gente, che basti innamorarsi per sentirsi completi? La platonica unione delle anime? Io la penso diversamente. Io credo che tu sia completo prima di cominciare. E l'amore ti spezza. Tu sei intero, e poi ti apri in due.[38]

Se per Platone l'amore dovrebbe risanare la ferita del taglio inflitto da Zeus, per l'antiplatonismo di Roth l'amore non unifica affatto, ma divide, spezza, apre in due. Divide perché espone la nostra vulnerabilità, evidenziando il carattere inguaribile della nostra mancanza. È la verità che emerge in modi anche traumatici nel tempo della fine di un amore, nel tempo della separazione degli amanti. È questo il tempo in cui

---

[38] P. Roth, *L'animale morente*, cit., pp. 73-74.

quello che prima era in lei o in lui desiderabile e irresistibile diviene insopportabile o indifferente. L'amato si trasfigura in un corpo estraneo perché divenuto troppo famigliare per essere ancora desiderato. Il più prossimo si rivela come il più estraneo. Il gelo, il conflitto, la disperazione calano allora fatalmente tra i Due; l'indifferenza subentra alla dedizione. Mentre nella dedizione amorosa l'Altro è considerato come unico e insostituibile, quando un amore finisce egli diviene un altro tra gli altri. Quel corpo che prima custodiva la causa del mio desiderio, quel corpo che prima segretamente mi attirava magneticamente verso di sé, è divenuto lontanissimo perché troppo prossimo. Ogni contatto erotico è sospeso. Esso appare ai miei occhi come un corpo senza vita, una presenza di troppo o caduta nell'indifferenza. L'incantesimo si è rotto:

Negli ultimi tempi, senza rendermi conto di quanto fosse vicino l'epilogo della nostra storia, mi sforzavo ancora di capire, di farmi un'idea dei motivi di Vela. Lei preferiva i fatti alle parole, ammettendo che verbalmente non poteva competere con me, e un giorno che stavo leggendo un libro (la mia regolare dieta di parole) entrò nella mia camera da letto completamente nuda, venne al mio capezzale e mi strofinò il pelo pubico sullo zigomo. Quando reagii proprio come doveva sapere che avrei fatto, mi voltò le spalle e se ne andò con l'aria di chi aveva chiarito il proprio punto di vista. Aveva vinto in *gran souplesse*, e senza aver avuto bisogno di dire una parola. Il suo corpo parlava per lei, e anche molto efficacemente, e diceva che la fine era vicina.[39]

[39] S. Bellow, *Ravelstein*, tr. it. di V. Mantovani, Mondadori, Milano 2000, p. 91.

La morte di un amore può accadere per *estinzione* o *strappo*. L'estinzione sarebbe la fine naturale (ma esiste?) dell'amore tra i Due: qualcosa si è esaurito, non funziona più, si è spento. L'amore ha finito di bruciare, non può più durare. Lo strappo implica invece il taglio della separazione che ricade su chi dei Due ama ancora, su chi tra i Due avrebbe voluto continuare nell'amore, su chi ancora brucia per amore. In questo caso la fine di un amore non è solo la morte del proprio Io che perde un suo sostegno fondamentale, che si trova spogliato di senso, del senso che l'amore gli assicurava, ma la morte del mondo intero, di quel mondo dei Due che quell'amore aveva fatto sorgere miracolosamente per una seconda volta.

Quando finisce un amore non finisce mai, dunque, solo un amore, ma finisce anche e soprattutto il mondo che i Due hanno generato. Nella morte di un amore muore l'intero mondo dei Due, dei loro oggetti, dei loro rituali, della loro memoria, dei loro viaggi, dei loro ristoranti, dei loro libri, delle loro case, dell'unione dei loro corpi, della loro stessa vita perché l'esistenza dell'amore era ciò che dava senso a quel mondo che ora non c'è più.

"Separtizione"

Ma cosa significa separarsi? Non significa solo staccarsi, allontanarsi, non vedersi più. La separazione non è mai solo un movimento in esteriorità, non coincide con lo staccarsi da qualcuno o da qualcosa. Non significa solo prendere le distanze, distanziarsi, differenziarsi. La separazione è sempre una "separtizione", come direbbe Lacan.[40] Significa che, quando ci separiamo, ci separiamo innanzitutto da una parte di noi stessi; quella parte che colui che abbiamo perduto sosteneva. Se perdo chi amo perdo tutto, mi sento perso io stesso. È come staccare la mano da un metallo ghiacciato; qualcosa di noi, un frammento della nostra pelle, resta sempre attaccato all'oggetto perduto, a chi non c'è più. Separarsi è, dunque, separtirsi, cioè perdere non solo l'Altro che non c'è più, ma anche, insieme all'Altro, un pezzo di noi stessi.

Per questo le separazioni sono così dolorose; lo sono perché strappano via una parte di noi stessi, perché quando l'Altro si allontana porta via anche un pezzo di me. Mi divide, mi spacca, mi lacera. Di qui l'inevitabile effetto depressivo che accompagna ogni separazione. Per Freud è come uno svuotamento, un'*emorragia libidica*: andandosene, l'Altro amato porta via con sé la mia stessa libido, il mio stesso desiderio. Il soggetto abbandonato – il soggetto che subisce una separazione – è un soggetto impoverito libidicamente, svuotato, scartato, svalorizzato. Non solo il mondo ha perduto il suo senso, ma è il soggetto stesso che si coglie come deprivato, regredito in una condizione di inermità passiva perché la morte di quel mondo coincide con la morte di una parte essenziale di se stesso. È la regressione della vita alla condizione del grido che – come quello di Munch – non trova più nessuno ad accoglierne l'invocazione, non trova più nessuno capace di rispondergli.

---

[40] Cfr. J. Lacan, *Il seminario. Libro X*, cit., p. 256.

È una sensazione che spesso accompagna chi vive un'esperienza di abbandono: la vita appare in tutta la sua inermità originaria, povera cosa, insignificante, di troppo, persa nel mondo. Più precisamente: la mia vita perde di senso, perde di significato, perché io non posso più essere ciò che manca all'Altro, non sono più la sua mancanza, perché io non gli manco più, perché lui non mi pensa più, non sono più io a mancargli.

Il dolore della separazione amorosa è un dolore sordo e psichicamente indigeribile. Senza la presenza dell'amato, senza il suo ascolto, senza l'offerta della sua mancanza, io regredisco nella posizione della vita inerme, sono solo un grido nella notte al quale però più nessuno risponde. Nessuno raccoglie più i miei messaggi. Barthes descrive la condizione dell'amore finito e della separazione come quella di una navicella spaziale che smette di lanciare segnali. È il "mutismo" fondamentale che caratterizza l'oggetto che una volta, prima della nostra separazione, mi amava, mi rispondeva, mi pensava:

> Come finisce un amore? – Ma allora finisce! Nessuno – salvo gli altri – lo sa mai; una specie d'innocenza nasconde la fine di questa cosa concepita, propugnata e vissuta come eterna. Qualunque sia la fine dell'oggetto amato, sia che esso scompaia o passi nella sfera Amicizia, io non lo vedo neanche svanire: l'amore che è finito si allontana verso un altro mondo come un'astronave che cessa di mandare segnali: l'essere amato che prima segnalava chiassosamente la sua presenza, diventa tutt'a un tratto *muto* (l'altro non scompare mai quando e come ci si aspetta).[41]

[41] R. Barthes, *Frammenti di un discorso amoroso*, cit., p. 206.

Se il silenzio dell'amato appare come insopportabile è perché esso segnala con forza che la sua presenza si è trasformata irreversibilmente in un'assenza. Nessuno mi ridona, mi restituisce l'amore che io posso offrire. La mia dichiarazione d'amore ("ti amo") non ha più destinatario. Come un vascello fantasma, torno a girovagare nel nulla. Io non ho più valore perché non manco più a nessuno, perché non c'è più nessuno che mi pensa. La fine dell'amore è la fine di un pensiero che mi pensa, di un ascolto che mi risponde. Non sono più la sua mancanza. L'Altro può vivere senza di me. Nel luogo della presenza cala l'ombra dell'assenza.

Destini della separazione

Ogni separazione implica un lutto. Per Freud era un vero e proprio enigma: perché la libido di chi si trova solo non può sostituire immediatamente l'oggetto perduto con un altro oggetto? Perché non opera in direzione di un suo rapido ricambio? Se la pulsione mira solo al proprio soddisfacimento, perché si attarda a rimpiangere l'oggetto perduto, a vivere il dolore per la sua perdita? Freud, in altre parole, pensa che l'enigma del lutto consista nel soffermarsi della libido non sulla presenza di un oggetto – come sarebbe logico – ma sull'assenza, sulla perdita dell'oggetto. Perché la libido non ritorna spontaneamente a investire il mondo ma resta pervicacemente attaccata all'oggetto perduto?

Il lavoro del lutto è necessario per staccare il soggetto dall'ombra dell'oggetto perduto. Ogni volta che un amore finisce il soggetto è impegnato nel lavoro inevitabile del lutto. Come possiamo ritornare a vivere dopo la morte di un amore? Dopo aver subìto lo strappo di questa perdita? Come possiamo riprendere ad amare? L'assenza di chi non c'è più può infatti diventare una forma oppressiva di presenza ("Non penso ad altro che alla sua assenza; mi manca troppo; la mia vita non ha senso senza la sua"). Il lavoro del lutto è necessario per liberarsi da questa assenza sempre presente.

Si tratta di un lavoro doloroso che richiede tempo, dolore psichico e memoria. Bisogna darsi innanzitutto tempo. Non esiste lutto rapido. Il tempo psichico del lutto serve non a dimenticare l'oggetto, ma a ripercorrere la nostra vita con lui, a ricordare l'amore che è stato. Non c'è infatti possibilità di dimenticare senza ricordare. Questo lavoro è particolarmente doloroso perché l'oggetto amato non è più con noi, ci ha lasciati portando con sé una parte di noi stessi e svuotando la nostra vita. Si tratta di riportare la libido assorbita nell'Altro presso noi stessi. Solo al culmine di questo lavoro della memoria potremo dimenticare l'oggetto perduto e recuperare la nostra libido, nuovamente disponibile per essere investita su altri oggetti.

Il nostro tempo suggerisce invece delle alternative più comode e meno penose al lavoro necessariamente lungo del lutto. Una di queste è il ricambio maniacale dell'oggetto; anziché attraversare la ferita della perdita, anziché ricordare l'amore perduto, meglio ricucirla il più rapidamente possibile con un nuovo oggetto, meglio dimenticare. La dimenticanza non è però ottenuta grazie al lavoro della memoria, ma solo attraverso una sostituzione d'oggetto. Il nostro tempo incoraggia la soluzione maniacale del lutto: morto un amore, ne deve subentrare subito un altro. Il nostro tempo è un tempo ostile all'esperienza "improduttiva" e "penosa" del lutto, essendo dominato dal comandamento neolibertino del godimento a tutti i costi. Il ripiegamento su di sé richiesto dal lavoro del lutto appare del tutto anacronistico. Meglio incentivare la sostituzione immediata dell'oggetto secondo lo stile più proprio del discorso del capitalista.

Se la separazione comporta una caduta simultanea del senso del mio Io e del mondo stesso, il primo riparo dall'angoscia provocata dalla separazione è quello di rimpiazzare l'oggetto perduto con un nuovo oggetto. Trovare in un altro legame il balsamo che serve a lenire la ferita d'amore. Ma difficilmente un incontro d'amore potrà accadere se la presenza dell'assenza dell'oggetto perduto è ancora ingombrante, se non vi è stato il necessario lavoro del lutto. Per incontrare una nuova presenza bisogna prima fare in modo che l'assenza sia una vera assenza. Bisogna prima seppellire psichicamente chi non c'è più per poter essere disponibili a un nuovo incontro.

Un altro destino possibile e assai frequente della separazione, alternativo al lutto, è quello dell'odio. Se la separazione è vissuta come un tradimento del patto, come una ferita narcisistica, come una violenza, un'offesa subita, è frequente che all'antico amore subentri l'odio. Talvolta questo odio può prendere le forme agite e drammatiche della violenza e della persecuzione che vorrebbero negare all'Altro la libertà di andarsene via, di dire "addio". L'odio che non sfocia nella violenza agita è un'operazione di distruzione dell'oggetto amato. È il rovescio dell'idealizzazione: se nell'amore vedevamo solo la bellezza, la generosità, il fascino dell'oggetto amato, ora ne vediamo solo i limiti e le imperfezioni. Se l'Altro non mi ama più bisogna distruggere la sua immagine divenuta fonte di dolore o la sua stessa vita, come a volte drammaticamente avviene. L'illusione tragica è però quella di separarsi attraverso l'odio, per la via della distruzione e della morte, da chi mi ha lasciato, senza cogliere che l'odio non è mai un vero movimento di separazione. Dove c'è odio c'è sempre attaccamento, anche se in forma negativa, all'oggetto perduto. L'odio tende a incollare sempre il soggetto a chi è stato amato e ora non c'è più. Si odia, in sostanza, per evitare di percorrere la strada tortuosa del lavoro del lutto. Per questo Lacan può affermare che l'odio è una "carriera senza limiti": non c'è pace, né termine, né fine, né soddisfazione nell'odio.

La considerazione drammatica che però a questo punto si impone è che, se nell'amore l'Altro diventa colui che scava in me una mancanza, se l'Altro introduce in me una forma inevitabile di dipendenza, l'amore può sempre portare con sé la possibilità dell'odio: era meglio prima, prima quando non avevo mancanza di nulla, prima della comparsa della tua esistenza nella mia vita. Sei arrivata/o tu, e il mondo si è, insieme a me, bucato, forato, destabilizzato... La mia vita si è spezzata, divisa, rotta. Meglio allora costruire un mondo senza l'Altro. È il disegno reattivo che spesso accompagna i feriti dall'amore. Accade come allo strano animale protagonista di un racconto di Kafka intitolato *La tana*.[42] Egli decide di vivere lontano da tutti, sottoterra, al riparo dalle insidie del mondo. Costruisce la sua tana come una fortezza che lo protegge e lo separa dall'Altro. Vuole distruggere ogni possibilità di incontro con il desiderio dell'Altro, vuole restare solo. La sua casa diviene un bunker inespugnabile costruito come un labirinto di cui solo lui conosce l'architettura. È l'aspirazione di molti: per evitare la ferita dell'amore o per curarla e rendere impossibile che si riapra di nuovo, meglio evitare ogni forma di relazione con l'Altro, meglio non impegnarsi con il desiderio dell'Altro, meglio vivere nascosti sottoterra. Una mia paziente racconta un lapsus straordinario. Nel bel mezzo della sua preghiera mattutina dedicata al *Padre nostro*, anziché invocare di "non indurci in tentazione", dice, eloquentemente: "E liberaci dalla relazione".

La vita dell'Uno chiuso su di sé è sempre meno faticosa e turbolenta di quella del Due. Non comporta rischi, non comporta ferite. Il protagonista del racconto kafkiano preferisce la solitudine e l'isolamento alla possibilità dell'incontro, fugge dal legame con l'Altro come dalla lebbra. Egli è convinto di aver fatto fuori definitivamente il pericolo dell'Altro. In realtà però l'Altro riappare improvvisamente nella forma di un sibilo, inizialmente quasi impercettibile e poi sempre più pervasivo, che segnala la sua pre-

[42] Cfr. F. Kafka, *La tana*, in *Tutti i racconti*, tr. it. di E. Pocar, Mondadori, Milano 1979, vol. II, pp. 224-255.

senza inquietante. Gli sforzi disperati dell'animale nella tana per proteggersi dalla minaccia della presenza costante di questo sibilo che si fa sempre più prossimo sono vani. Non si può sfuggire al rapporto con l'incognita dell'Altro.

7.
L'amore che dura

"Il canto della durata è una poesia d'amore.
Parla di un amore al primo sguardo
seguito da numerosi altri primi sguardi."

P. Handke, *Canto alla durata*

Bruciare o durare?

Tutti gli amori finiscono male? Tutti gli amori sono destinati a perdere la loro forza iniziale, ad appassire, a morire, a scadere nella rassegnazione, a divenire cimiteri del desiderio? Non è questo quello che per lo più l'esperienza rivela? Quello che resta è solo l'affetto e la memoria di ciò che è stato. L'amore somiglia forse alla *Canestra di frutta* (1594/1598) di Caravaggio, dove la presenza appena percettibile della mela bacata annuncia, nel rigoglioso manifestarsi della frutta, la corruzione fatale della vita? Gli amori che bruciano non sanno durare proprio perché il desiderio imporrebbe come sua condizione di esistenza il ricambio continuo dell'oggetto. La spinta verso il Nuovo incenerisce lo Stesso rivelandolo come luogo della morte del desiderio. Il nostro tempo ha fatto diventare una legge universale la tesi di Freud relativa alla comune degradazione della vita amorosa nel nevrotico, caratterizzata dall'incompatibilità tra la tenerezza capace di durare nel tempo e la corrente sensuale del desiderio che esige la novità dell'oggetto: se c'è l'amore, non c'è il desiderio; se c'è il desiderio, non c'è l'amore.

Eppure sappiamo che esistono alcuni amori nei quali non cessa di ripetersi lo sguardo dell'inizio, nei quali il primo bacio e il primo sguardo continuano a essere sempre nuovi pur essendo sempre gli stessi. Vi sono amori nei quali si mantiene il bacio. Vi sono, insomma, amori capaci di durare, amori che smentiscono la tesi del rapporto inversamente proporzionale tra l'intensità del desiderio e la durata del legame. Vi sono amori che vorrebbero sovvertire la constatazione cinica che ogni amore debba per forza finire in merda. Ci sono amori gloriosi e quotidiani che non vogliono morire, che scommettono sulla possibilità di tenere insieme il bruciare e il durare. Non sono poi così tanto diversi da quelli che invece muoiono dopo aver bruciato e aver provato ogni cosa per poter durare.

L'amore che dura contiene l'essenza dell'amore: è un miracolo che non si può spiegare perché la tendenza più propria del desiderio è quella, appunto, di contrapporre il bruciare al durare. Si può però fare una constatazione generale: gli amori che durano sono quelli nei quali ciascuno dei Due ha una certa confidenza con la propria solitudine. Questo significa che il legame d'amore non è tanto il balsamo che conforta la ferita della solitudine, ma è l'incontro tra due solitudini. Per questo Lacan, per definire l'incontro d'amore, propone l'immagine dell'incontro tra due esiliati. Sicché l'amore che dura non si fonda affatto sulla prossimità e sulla fusione dei Due, ma sulla lontananza, sull'incondivisibilità, sull'impossibilità di fare e di essere Uno con l'Altro, sulla solitudine dei Due. L'amore che dura non è l'amore che si consuma tutto nella passione per l'amato che non conosce altro progetto se non quello di bruciare insieme, ma non è nemmeno l'amore che unifica, che identifica, che confonde l'Uno nell'Altro. L'esistenza dell'amato è un'incognita che non può essere tradotta mai integralmente; il suo cuore che io sento nel mio resta il suo, il suo corpo che io sento nel mio resta differente dal mio, la sua vita che io sento unita alla mia non è mai la mia.

L'intimità dei lontani

L'amore brucia quando il desiderio accende i corpi. Quanto durerà? La vita dei Due che sa durare non esclude affatto l'erotismo. La quotidianità dell'esistenza insieme non implica necessariamente la familiarizzazione dell'Altro. In ogni vita di coppia è sempre possibile il respiro del desiderio se l'amore continua a esistere:

Stai per compiere ottantadue anni. Sei rimpicciolita di sei centimetri, non pesi che quarantacinque chili e sei sempre bella, elegante e desiderabile. Sono cinquantotto anni che viviamo insieme e ti amo più che mai. Porto di nuovo in fondo al petto un vuoto divorante che solo il calore del tuo corpo contro il mio riempie. [...]

Hai appena compiuto ottantadue anni. Sei sempre bella, elegante e desiderabile. Sono cinquantotto anni che viviamo insieme e ti amo più che mai. Recentemente mi sono innamorato di te un'altra volta e porto di nuovo in me un vuoto divorante che solo il tuo corpo stretto contro il mio riempie. La notte vedo talvolta la figura di un uomo che, su una strada vuota e in un paesaggio deserto, cammina dietro un carro funebre. Quest'uomo sono io. Sei tu che il carro funebre trasporta.[43]

L'autore di queste righe è André Gorz. Egli descrive il suo amore per la moglie poco prima di scegliere di darsi insieme la morte, a causa di una grave malattia che aveva colpito la sua amata. Il loro legame è stato un legame d'amore che ha saputo resistere al tempo. In questo congedo drammatico il desiderio viene evocato *insieme* all'amore e non *contro* l'amore. Lei resta sempre "bella, elegante e desiderabile". Il tempo, in questo caso, non ha raffreddato né ucciso il desiderio. Piuttosto l'amore ha sospeso il tempo o, meglio, ha reso il *tempo amico e non nemico dell'amore*. L'amore non è diminuito a causa del tempo ma è cresciuto nel tempo. I corpi stretti l'uno all'altro introducono una pausa nel dolore del mondo, una pausa nel "vuoto divorante" che costituisce l'esistenza. Senza l'esperienza condivisa della ferita è difficile che possa esistere un amore.

Non esiste amore che non si nutra di mancanza. Lacan lo dice a suo modo in una formula divenuta celebre: *amare significa dare all'Altro quello che non si ha*. Significa che nell'amore non mi limito a dare all'Altro quello che possiedo, cose, oggetti, sicurezze, prospettive, rendite; il dono più proprio dell'amore è il dono della nostra mancanza, è il dono della nostra ferita. Gli amanti sono una tregua dal dolore del mondo, ha scrit-

[43] A. Gorz, *Lettera a D. Storia di un amore*, tr. it. di M. Loria, Sellerio, Palermo 2008, pp. 9 e 67-68.

to Berger. Questa tregua è una gioia che può rinnovarsi nel tempo, che può durare. Allora la ripetizione dello stesso amore non uccide il desiderio ma lo rinnova. Ogni volta l'amore ci salva dalla ferita del mondo. Il nostro tempo tende a opporre la vita effervescente del Nuovo al grigiore spento dello Stesso. Ritiene illusoriamente che lo Stesso sia la morte del Nuovo. Ne deriva che il desiderio in una coppia ha vita breve, che i suoi giorni sono contati. Come quelli di un frigorifero o di un televisore destinati a essere, in breve tempo, sostituiti da modelli più aggiornati ed efficienti. Il nostro tempo pensa l'amore a partire dalla categoria della "merce". Il suo feticismo – il feticismo della merce –, come ci ha spiegato Marx, misconosce il significato della durata. Brucia se stesso, consuma se stesso a partire dall'offerta di altri oggetti che la legge del mercato mette a disposizione illimitatamente.

Il desiderio non si accontenta mai di quello che ha, ma mira sempre a quello che non ha. Somiglia, come ha detto una volta Lacan, alla *Parabola dei ciechi* del fiammingo Bruegel (1568): il desiderio è un movimento perpetuo che non trova pace in nessun oggetto; va e viene ondivagamente da un oggetto all'altro. La cecità del desiderio consiste nella ricerca smodata del nuovo partner pensando che nel Nuovo si trovi la vera soddisfazione del desiderio. In realtà il desiderio consuma ogni oggetto rendendolo vecchio, obsoleto, come una merce che ha esaurito la sua funzione soppiantata da oggetti-merce più efficaci. Il desiderio è cieco perché tende a opporre il Nuovo allo Stesso; non sa pensare che il vero volto del Nuovo è solo una piega dello Stesso e non il Nuovo contrapposto allo Stesso.

In opposizione al culto del Nuovo che produce solo la stessa insoddisfazione, è la durata a rendere ogni cosa davvero differente. Non è il Nuovo contro lo Stesso; ma è il Nuovo nello Stesso, è il Nuovo come una piega interna allo Stesso. L'amore è infatti la possibilità di elevare un oggetto alla dignità di un oggetto non seriale ma insostituibile, impareggiabile, unico. L'amore eleva quel piede, quella mano, quel volto, quell'odore, quella voce alla dignità di un oggetto impareggiabile, insostituibile, unico, interrompendo in questo modo lo scivolamento del desiderio da un oggetto all'altro.

In questo consiste la possibilità di unire il desiderio al godimento, di saldare il Nome al corpo, di fare del corpo un Nome e del Nome un corpo. Le infinite scale che Montale scende a fianco della propria donna sono un simbolo possibile della durata: "Ho sceso, dandoti il braccio, almeno un milione di scale".[44] Lo stesso braccio, le stesse scale, ma ogni volta il primo braccio e le prime scale. È questa l'*intimità dei lontani* che non deve essere confusa con quell'*intimità alienante* di cui parla Adorno nei *Minima moralia* facendo riferimento al simbolo della canottiera bianca del padre nei mesi estivi.

L'intimità negli amori che durano non dissolve il mistero del corpo. Non si lascia derubare dal famigliare. Al contrario: la ripetizione dello Stesso, anziché sterminare il Nuovo, lo nutre. Il corpo di cui conosco a memoria la geografia, le insenature, i rilievi, le profon-

[44] E. Montale, *Ho sceso, dandoti il braccio, almeno un milione di scale*, in *Satura*, Mondadori, Milano 2018.

dità, la consistenza è reso sempre nuovo dall'onda inarrestabile del tempo. È questo il miracolo dell'amore quando dura: non essere in opposizione al desiderio ma essere ciò che rende unico e insostituibile l'oggetto del desiderio, ciò che accende la sua fiamma. In questi amori la fedeltà non è il frutto del sacrificio, ma è ebbrezza, vertigine, insistenza di una forza, di un enigma, di un mistero. La fedeltà, quando è espressione di un amore vivo, esclude per principio la rinuncia o la rassegnazione. Altrimenti essa diventa una malattia sacrificale, una camicia di forza del desiderio. Il mistero è tutto nella bellezza della durata. È il gesto di Ulisse che più mi aveva colpito sin da bambino: come aveva potuto preferire la sua Penelope alla bella e giovane Calipso? Ma, soprattutto, come aveva potuto scegliere una donna consumata dal tempo rispetto alla bellezza senza fine dell'immortalità? Quale follia è l'amore se per esso un uomo può rinunciare alla vita eterna? Non è stata questa la follia più affascinante di Ulisse? Non è la follia con la quale egli declina l'offerta della dea?

"O Dea sovrana, non adirarti con me per questo: so anch'io,
e molto bene, che a tuo confronto la saggia Penelope
per aspetto e grandezza non val niente a vederla:
è mortale, e tu sei immortale e non ti tocca vecchiezza.
Ma anche così desidero e invoco ogni giorno
di tornarmene a casa, di vedere il ritorno."[45]

[45] Omero, *Odissea*, V, 215-220. Ho avuto modo di rileggere recentemente questa "follia" di Ulisse in M. Recalcati, *A libro aperto. Una vita è i suoi libri*, Feltrinelli, Milano 2018, pp. 71-79.

Il Due non è una marmellata empatica, un'immedesimazione senza differenza, un'intimità senza desiderio, ma è rapporto tra non-eguali, esperienza di condivisione dell'incondivisibile, "amicizia stellare" direbbe Nietzsche, *intimità dei lontani*. Si tratta della grande impresa dell'amore, di una vera e propria *opera*: far durare il desiderio *nel* tempo, l'Eros *nel* tempo, l'incontro *nel* tempo. Mistero profondo dell'*intersezione tra caducità ed eternità*. Quando questo accade è una meraviglia, un vero miracolo. Ma non esistono ricette, corsi, tecniche, esperti. Sappiamo solo che talvolta accade. Per Camus al massimo tre volte in un secolo e una volta è già accaduto a lui... Dunque ci lascia poche speranze.

Il primo sguardo, ancora

I corpi degli amanti si trasfigurano nel tempo; cambiano forma, colore, consistenza, carattere. La durata però non logora ma rinnova. Non si allontana dall'origine ma porta l'origine con sé, nell'insistenza della sua ripetizione. Il tempo della durata non è corruzione del presente, morte, degradazione, ma rinnovamento dell'origine. È il miracolo più proprio dell'amore quando c'è: fare dello Stesso il Nuovo. La ripetizione non annienta l'amore ma lo rende infinito:

Il canto della durata è una poesia d'amore.
Parla di un amore al primo sguardo
seguito da numerosi altri primi sguardi.
E questo amore
ha la sua durata non in qualche atto,
ma piuttosto in un prima e in un dopo,

dove per il diverso senso del tempo di quando si ama,
il prima era anche un dopo
e il dopo anche un prima.
Ci eravamo già uniti
prima di esserci uniti,
continuavamo ad unirci
dopo esserci uniti
giacendo così per anni
fianco a fianco, respiro nel respiro
uno accanto all'altra.
I tuoi capelli bruni si coloravano di rosso
e diventavano biondi.
Le tue cicatrici si moltiplicavano
e diventavano poi introvabili.
La tua voce tremava,
si fece ferma, sussurrava, trasaliva,
si volgeva in una cantilena,
era l'unico suono nella notte del mondo,
taceva al mio fianco.
I tuoi capelli lisci diventarono ricci,
i tuoi occhi chiari diventarono scuri,
i tuoi denti grandi si fecero piccoli.
Sulle tue labbra tese
apparve un disegno fine e delicato,
sul mento sempre liscio
scoprii al tatto una fossetta che prima non c'era
e i nostri corpi invece di farsi male a vicenda
diventavano giocando uno solo,
mentre sulla parete della stanza
alla luce dei lampioni
si muovevano le ombre dei cespugli dei giardini d'Europa,
le ombre degli alberi d'America,
le ombre degli uccelli notturni d'ogni dove.[46]

[46] P. Handke, *Canto alla durata*, tr. it. di H. Kitzmüller, Einaudi, Torino 1995, pp. 23-25.

Tutto cambia del tuo corpo, scrive Handke, ma tutto, proprio mentre cambia, rinnova il "primo sguardo" dell'incontro e la sua promessa. Non ci sono solo altri sguardi o altri baci dopo il primo sguardo e il primo bacio. Non c'è solo lo scolorire nel tempo dei primi baci e dei primi sguardi. Non c'è solo il ricordo del primo sguardo e del primo bacio, perché la durata è sempre nel presente. La durata non è l'allontanamento infelice dall'origine, non è lo spegnersi del fuoco dell'inizio; la durata è la possibilità che l'inizio sia sempre nuovo.

La durata ribalta la nostra concezione ordinaria del tempo dell'amore: non c'è un'origine – il tempo dell'incontro – dalla quale inevitabilmente ci si allontana sbiadendo fatalmente la sua intensità. Lo scorrere del tempo non implica necessariamente la corruzione e la degradazione dell'origine. Piuttosto – ed è questo il miracolo della durata – rinnova in ogni momento quella stessa origine perché è proprio nel presente, nel nostro presente più quotidiano – nell'*adesso* – che è sempre presente, la possibilità di "altri primi sguardi" in quanto il "primo sguardo" non è semplicemente lo sguardo che è già stato, al passato, alle mie, alle nostre spalle, dal quale irreversibilmente ci allontaniamo, ma è lo sguardo che non cessa di essere "il primo sguardo".

L'incanto, il miracolo della durata è che questo sguardo – il primo sguardo come il primo bacio – può accadere ancora, ancora un'altra volta ancora. Non è un caso che per Lacan la parola prima dell'amore, la cellula fondamentale di ogni discorso amoroso, sia la parola "ancora". Ancora, ancora come oggi, ancora come adesso. Ancora è la parola che l'amato rivolge all'amata: "Resta ancora, ne voglio ancora, ancora un'altra volta, stai ancora con me". Ancora, per Lacan, è la parola fondamentale dell'amore. L'amato chiede che l'amore sia ancora, che ancora vi sia l'amore, che il volto dell'amata sia ancora qui, che la vita dell'amore sia ancora come oggi, ancora come adesso. Ancora è la parola che rende nuovo l'amore che sa durare e bruciare insieme: ancora è la parola più profonda della durata.

In questo senso, come scrive Handke, possiamo continuare a unirci dopo esserci già uniti, possiamo scoprire nel nostro corpo delle ferite che non avevamo ancora visto; possiamo non farci del male, ma allargare la nostra stanza, il nostro "nascondiglio", la nostra cospirazione; il nascondiglio e la cospirazione dei Due, per dilatare ancora l'orizzonte del mondo sino a comprendere, come scrive il poeta, tutta l'Europa, l'America e "ogni dove".

Indice